左に闘い続けし者あらば、右に頂点《いただき》を征《い》く者あり。[illegible]ら天空《そら》を見上げるべからず。
すれば恐怖《おそれ》の果てに死に至るより他な[illegible]の切ッ先が眼前に迫りて——

——AC／DC〈剃刀の刃〉

……人は実現しうることを夢見るという。だがその実現がどのような形になるかは誰にもわからない。

少年が、そのことを少女に語ったのは十年前のことである。

「顕子《あきこ》ちゃんは、どうして死んじゃいたいなんて思うんだい？」

「だって……みんなあたしに意地悪するし。お母さんもお父さんも、先生もみんなもあたしなんか嫌いみたいだし。あたしなんか生まれてこなきゃよかったのよ」

少女は、きっと悪戯《いたずら》かあるいは喧嘩でもして、両親を含むみんなにこっぴどく叱られた後だったのだろう。両眼を真っ赤に泣きはらしてぐすぐす言っている。

「なるほどね。でも生まれてこなければよかった、と言っても、君はもう生まれてしまっているからね。今さらそれを変えることはできないんだよ、誰にもね」

「………」

それから少年は穏やかな口調で、少女に諭《さと》すようなことをいくらか言った。だが少女は不機嫌であり、そういうことばかり聞かされてもあまり楽しくない。それが顔に出たのだろう。少年は一転して、

「じゃあ顕子ちゃんは死ぬとしたらどんな風に死にたいんだい？」

と訊《き》いてきた。

「え？」

「半端《はんぱ》なやり方では駄目だぜ。死ぬってことは大変なことなんだから」

「どうして？」

「それはね顕子ちゃん、生きているということ、生命というものがこの世にあること、それ自体がひとつの奇蹟だからだよ。だからそれに逆らおうと言うからには、こっちも奇蹟を起こして見せなきゃならないんだ。君はどんな奇蹟がいいんだい」

少女はぽかんとしている。だが少年はまったくかまわずに、

「君が望んでいることがあるはずだよ。それを言ってみてごらん。言わなきゃわからないぜ。人間というのはいい加減なものでね、心の中にしまっておくだけでは自分が何を欲しがっているかすらわからなくなっていくんだ。言葉にしてみなければ、想いは自分にも通じないんだよ」

難しいことを子供相手に平然と言う。

「……わかんないよ、あたし。そんなこと言われたって」

少女は困惑していた。

「そうだね、だったら実は君はこういうことじゃないかな――〝死ぬにはまだ早い〟ってね。君が起こしたいと思う奇蹟、それを見つけてから、あらためて死にたいと考えるといい」

少年はにっこりと笑った。

彼は周囲では人気者である。友達に頼られて、色々な相談に乗ってくれて、そしてなんというか――〝道を切り拓いてやる〟というのか〝卵の殻を破ってやる〟というのか――その相談者が行き詰まりを感じていたり限界だと思いこんでいたことをなんとかしてくれる……そういう評判が立っている。

だがその彼自身は、なんだかひどく儚《はかな》げな雰囲気を漂わせており、明日にはこの世にいないのではないか、というイメージがつきまとっている。

「……うーん」

少女は狐に鼻をつままれたような顔をしていたが、やがて逆に不安そうな顔になって、

「……じゃあ、キョウ兄ちゃんは？」

と訊いてきた。

「キョウ兄ちゃんには、なんかその〝キセキ〟っていうの？　そーゆーのはあるの？」

「うん、そうだねえ……」

彼は遠い眼をする。

「ぼくにはどうやら選択肢はないみたいだからね……ただひとつだけ注文というか、願いというのがあることはあるね」

「なに？」

「〝死神〟に会ってみたいね。そいつはぼくを殺しに来るんだよ。それがそいつの仕事なのさ。殺すだけの存在なんだ。世の中の色々な奴らは、それぞれ葛藤《かっとう》を抱え込んで生きているんだけど、そいつにはそういうものは何にもなくてただ自動的なんだよ。そういうすっきりとした奴には会ってみたい……ぼくらが抱え込まざるを得ない悩みとか、もがきとか、そういうのなんか〝関係ないね〟と言い切ってはばからないような奴なら……ぼくはそいつに殺されてやっても悔いはない」

少年は淡々と言った。

「…………？」

少女は話についていけず眼をぱちぱちとしばたくだけだ。彼女がこれとよく似た噂話を聞くのはそれから八年後、高校を受験する中学三年生のときのことであるが、そのときの彼女は自分を見失っていたので、この少年の話したこととの類似性には遂に気がつかず、そしてその後でも思い出すことはなかった。

……少年はそれから数ヶ月後、地面に倒れて広がる空を見上げている。

身体は動かない。

そして彼の頭上には、彼を今何らかの方法で殺傷した男がぼんやりとした顔でこっちを見ている。

そう、少年は今、死のうとしていた。何をされたのかはわからない。だが全身が痺《しび》れて、手足の感覚が切り取られたように消失していることから見て致命的な一撃を受けたことは間違いない。

彼には他人にはない〝人の秘めたる能力を開花させる〟という奇妙な力があったために、その力を危険視するあるシステムが彼の暗殺をとうとう決行したのだ。これは予測のついたことだった。殺されるのは覚悟の上で、彼は能力を使っていたのだから。

だが……

(やれやれ――)

彼はひどく失望していた。

彼を殺しに来た、そいつ――その男は別に死神でも何でもなかった。それどころか心の奥底では自分が就かされている暗殺という任務に深い抵抗感があり、そのために逆に、クールに振る舞って平然と殺しをやっているという屈折した、要するにごく普通の奴だったのだ。

男は、倒れて動かない死にゆく彼の頭に機械を押し当てたりして何かをしている。脳波というか、彼の頭脳にあるはずの、特定のパターン波というのか、そういうものを記録しコピーしているようだ。研究素材の回収、ということだろう。色々と上から命令されて、まるっきり普通のサラリーマンと同じだ。

(やれやれ……)

彼がじっと男を見つめていると、やがて男も彼の眼を見てしまい、そして内心でひどく動揺したのがはっきりとわかった。殺した相手の眼を見るのは辛いのだろう。

彼は、最期《さいご》にこの男に意地悪をしてやれと思った。

彼はかすかに動く唇を動かして、喋《しゃべ》った。声は出ていない。だが男には唇が読めるだろうと思ったのだ。彼は男にこう言った。

「あなたの中に一匹の虫がいる。それはあなたの中であなたが〝考えてもしょうがないこと〟と思って無理矢理忘れようとすることを食べながらあなたの中で大きくなっていく。あなたの虫はいずれあなたの運命を決定するだろう。そしておそらくあなたは――」

言いながら、彼は苦笑いに似た感情が起こるのを自覚していた。

何のことはない。

死神は自分の方だったのだ。

彼こそが、この男に悩みも何もかも超越して、静かに最期を告げる死神であったのだ。願いは叶えられたわけだ。ただし――それはひどく皮肉な形であったわけだが。

人は実現しうることを夢見るという。だがそれがどんな形になるかは誰にもわからない。少年は納得していた。

(やれやれ——しかし、みんなにはぜひ頑張ってもらいたいものだよな、本当に——)

みんなとは誰のことなのか、おそらく彼自身にもわかってはいなかっただろう。


——だが、現実というのはそうそう簡単に人の考えるようには行かない。たとえそれが夢の達成であったとしても、そうそう素直に納得のいく決着の仕方などはしない。

誰も知らない。

関わっている本人たちすら知らない。

だが〝死神に会う〟その夢はひどく奇妙な形で、その十年後に実現することになる。そしてそれはもはや少年の物語でもなく、死神の物語でもない。それは運命のパズルの一片に過ぎないからだ。真の中心は別のところにある。それこそがすなわち、最強と稲妻の、炎の中での決闘の——

BOOGIEPOP WICKED

THE EMBRYO

2ND HALF -ERUPSION-

VERSES FROM SEVEN TIL THIRTEEN

7

『いたずらに膨《ふく》れ上がり続けるのみの各部に戸惑い――』

「…………」

織機綺《おりはたあや》はじっと、ベッドの上で横たわったまま動かない少年、谷口正樹《たにぐちまさき》を見つめている。

正樹には各種の点滴や輸血のための管がつながれていて、胸は呼吸のために上下している。しかし——その全身に巻かれた包帯には、今もじわじわと血がにじみ出し続けていて、どうしようもない状態であった。まるで血友病のようだが、この場合血が凝固しないのでない。固まった血の瘡蓋《かさぶた》の下からも、縫い合わせた傷口の間からも血がじわじわとにじみ出し続けているのだ。まるで塞《ふさ》がる気配を見せない。

そして正樹の意識も戻らない。なにか強烈なショックを受けて、気絶状態になったまま回復しないのだ。そのショックの正体もわからず、医者には手の打ちようがなかった。本人の回復を待つしかないのである。そしてそれはもう……

だから——医者も彼に付き添いの少女がつくことに反対しなかった。本来なら面会謝絶なのだが、病院としてはもはややれることがないのである。少女は患者の恋人だという。最期《さいご》まで一緒にいさせてやる、それがこの絶望的な患者と少女に対するせめてもの餞《はなむけ》だった。

「…………」

綺はじっと正樹を見つめている。

正樹はまだ呼吸をしている。それだけをずっと確認し続けているように、いつまでもいつまでも見つめ続けているのだった。

＊

〈……この警官による無差別殺人がいかなる動機によるものであったのか、県警本部や所轄《しょかつ》の署からは一切公式のコメントは未だ出されていません。以前よりこの警官の挙動に不審があったのかどうかも不明で――〉

そのアナウンサーの声はラジオ機能を付けているウォークマンから無感動な響きで聞こえてくる。

「――亨《とおる》さんじゃなかったのね……」

イヤホンを片方だけ付けている穂波《ほなみ》顕子はへなへなと身体から力が抜けた。いや信じられなかったのだから、その通りであることが証明されたのだから喜んだ方がいいのだろうが、それでも持っていた〝もしかして……〟という疑念が罪悪感をもたらし、それ故に彼女はまず力が抜けた。

『しかし、警察に捕まってることは間違いないんじゃないのか』

彼女の胸元から声がする。それはペンダントのように首からぶら下げられている白くて丸くて小さい家庭用ゲームの携帯端末なのだった。まるで卵のような形をしたそれが口を利いている。

「ラジオでは何も言っていないわよ」

『そんなもの伏せられるに決まっているだろう。一人で警官たちの暴走を食い止めた勇気ある青年、とでも紹介するのか？　警察の面目は丸つぶれだぞ』

「……犯人じゃないってわかっているんだから、すぐに出してもらえるわよきっと」

顕子は自分に言い聞かせるように言った。

そこは薄暗い。

まるで古代ローマの地下墓所《カタコンベ》のような、山の中を刳《く》り抜いて通っている謎の洞窟なのだった。明らかに人為的な物であるらしいと言うのは、その床や壁に当たる面が石などが敷かれて平坦だからだ。そして、あちこちに明かり窓というか、小さな穴があいていてその光線の筋が空間に走っている。彼女はその中の通路の半端な位置に座り込んでいるが、これは電波がかろうじて入る場所がそこしかないからである。

ここを顕子が見つけたのは、たしか彼女が中学生の頃、受験する高校の下見に来たときのことだったと思う。あれは夏だったか……彼女は何気なく歩いていて、そして山に面したところにあるその高校、県立深陽学園のすぐ近くにこんな隠れ場所があることを発見したのだ。ずっと忘れていたのだが、しかし彼女がとっさに身を隠さねばと思ったときに思いついたのはここだった。

そう——彼女は世界から身を隠さなくてはならないのだ。

「…………」

一匹のカナブンが、彼女の足元でひっくり返ってわずかに脚を動かしている。

寿命なのだろう。それは今にも死のうとしているのだ。

そして——彼女の眼には、そのカナブンにまとわりついて、そして地面に垂れ落ちようとしている黒い染みのようなものが見える。他の者には見ることがかなわないそれこそがカナブンのこぼれ落ちようという生命のいわばエキス、そのヴィジョンであり、それがすべて地面に消えるときがこの虫の死ぬときなのである。

「…………」

彼女はそれには手を出さない。やがてカナブンはそのまま動かなくなった。

染みの方も、完全に消えている。

だがもしも——もしも彼女が手を伸ばし、そのカナブンからエキスがこぼれるのを阻止しようとしたならば、カナブンはわずかではあったろうが生き延びることができただろう。彼女には今やそういう不思議な能力があるのだ。

『諸行無常、って感じだな。哀れなカナブンの魂よ安かれ、ってところか？　へへへへ』

胸元の卵形がへらへらと、せせら笑うように喋っている。どうやら今彼女と同調しているこいつは、彼女の目を通して世界を見ているようだった。だから彼女が感じることはこいつにもわかるのだ。

ゲーム機の端末だが、これは決してダウンロードされたミニゲームではない。この卵形の中に封じられているエネルギー体……それが意志を持ち、彼女の精神に直接話しかけてくるのである。だから他の人にはこの〝声〟は聞こえない。エンブリオという名前のこいつは〝人の中に秘められた可能性を解放する〟という作用を持つらしい。

そして彼女からもこの〝生命を観《み》る〟能力を引き出したのだ。

だが彼女には実感がまるでない。すでに人間も一人、そうやって助けているが……

（しかし死のうとしている人を生かすということは本当に助けることになるのかしら……ああ何を考えているの私）

……それでも、これが自分の才能などというのが信じられない。まるで心の中でしっくりこないのだ。普通眠れる才能と言ったら、もう少し本人に手応えというか、そういうものがあるのではないだろうか？　なんだか借り物の服を着せられているみたいなのだ。

しかし、たとえそれが本人の内面とそぐわないからと言って、その能力は歴然と存在するのだ。なんとかそれに対応策を立てなければならない。なにしろこの能力で人を生かそうとすると、彼女自身も〝生命〟を外に出さなければならず、どうもそれは消耗を要求することのようなのだ。つまり……使いすぎれば、いやそれどころか次に使うだけで彼女は取り返しのつかないことになるかも知れないのだ。

いくら生き物を死から救える能力とはいえ、これではほとんど役に立てることなどできない。あるいは……これは生命を救う能力などではなく、別の使い方があるのだろうか?

『だからオレを殺せばいいんだよ。そうすりゃおまえにオレのエネルギーが直接かぶって、能力の方もがっちり固定されるって寸法だ』

エンブリオが言う。なんだかわからないが、こいつはことあるごとに自分を壊せとかそういうことを言う。

「……固定、って——じゃそれで変なことになったらどうするのよ? お化けみたいになっちゃったら?」

『まあ運命だと思ってあきらめるんだな』

「……あんた、ひょっとして私のことなんかどうでもよくて、ただ死にたいだけなんじゃないの?」

『それも一理ある』

あっさりと言う。

「どうしてそんなに死にたいのよ？」

『オレはニセモノだからだよ』

「……偽物《にせもの》？　なによそれ」

『オレのエネルギー波というのは、何かのコピーなんだよ。それが何なのかオレには知る由もないがな。とにかくオレは〝自分〟ではないんだよ』

「……それが何だって言うのよ？　あんたはあんたでしょう？　偽物か本物かなんてどうだっていいことじゃないの？」

『わかってねーなあ、あんた』

エンブリオはふふん、と人間だったら鼻を鳴らす、という行為に当たるようなニュアンスの声を出す。

『オレがコピーだということは、オレと同じよーに他にもまったく同じ奴がごろごろいる可能性があるってことだよ』

「……だから何よ？」

『それで生きていると言えるか？』

「……に、人間だって同じよーな顔して、同じよーなことして生きているわよ！」

なぜか、顕子はひどくムキになっている。

『それはおめーが〝特別〟だからそんなことが言えるんだよ。オレの身にもなってみやがれってんだ。自分では何にもできやしない。ただ人がオレの声を聞いてくれるのをじっと待っているだけだ。ずっとだ。何年も何年もずっと待っていたんだぜ。オレを創《つく》った奴らには誰一人として〝声〟が聞こえなかったしな。やっと聞こえる奴ができたと思ったら、そいつは……』

「……そのひとは？」

『……サイドワインダーはそこの裏切り者になっちまった。おかげでこのザマだ。あの馬鹿は、オレを外に連れ出すためにくたばったようなものだ』

エンブリオは苦々しげに言う。

「……あんた、そのひとのことで、辛いの？」

顕子が訊くと、エンブリオは『はっ！』と笑った。

『そんなのは人間の感情だろう？　オレは人間でも何でもない、魂のないただのエネルギーの波長に過ぎないんだぜ？』

「…………」

顕子は顔を曇らせた。

なぜだろう？　こいつがこういうようなことを言うのが、彼女にはとても辛い。どうしてそう思うのか？　まるで昔の知り合いが身を持ち崩して駄目になってしまったのを見ているような、そんないたたまれなさがあるのだ。だがそれは誰だろう？

「あんたが死んだら……そのひとはどう思うかしら？」

『知るか』

「何か言っていたはずよ。ええ、絶対に言っているわよ」

『何をムキになっているんだ？』

「言っているはずだわ！　あんた、何を言われたのよ！」

　彼女は大声を上げている。

『外に聞こえるぜ』

　エンブリオに言われて、はっと口をつぐむ。

『だいたい……今のあんたはオレなんかのことでぐしゃぐしゃ考えている余裕はないんじゃねーのか？　弟のこととかあるだろう？』

「……ラジオで、子供のことには何も触れなかったってことは、つまり……」

『死体で見つかってはいない。しかも事件は終わっているからもう大丈夫、そういうことか？　ははん、果たしてそうかねえ？』

「…………」

　顕子は顔を曇らせる。彼女がちょっと出かけている間に家は荒らされて、弟の姿は消えていたのだ。彼女はどうしようかと思ったが、その場にとどまっていることもできずに逃げ出したのである。危険が迫っているような、そんな気がしてならなかったからだ。

『――まー、弟に関しちゃ確かに安心だろうがな。もし例のシステムに捕まっているのなら、かえって〝保護〟されてる可能性が高い。そう、おまえから〝オレを取り返す〟ために必要だからな』

「……そんなこと言っていいの？　だったら私は、どうしたってあんたを壊せなくなるわよ。弟の〝身代金《みのしろきん》〟になるわけでしょう？」

するとエンブリオはまた『へっ！』と鼻を鳴らしたような声を上げる。

『言ったろう？　連中にはオレの声なんざ聞こえてねーんだよ。区別なんかつくものか。この入れ物と同じものを渡して〝なんだか表示は途中で消えました〟とでも言えば仕方なく引き取ってくれるよ。つーか、そうしないと危険なんだぜ。なにしろ〝目覚めている〟と向こうに認定されたらオメー、もうまともな人生は送れねーと覚悟しなきゃならなくなる』

「…………」

すでに、それはもう起こってしまっていることじゃないか、と顕子は内心で思った。

（亨さん――）

彼女は、あの大男に会いたかった。

高代《たかしろ》亨。サムライになりたいと不思議なことを言っていたあの男も、エンブリオの声を聞いているはずなのだ。彼女と同じ〝仲間〟なのだ。会いたい。会って、この奇妙な状況について相談したかった。

ああ、一時はもしや人殺しではないかと疑って逃げ出してしまった、あのときにそんな迷いを持っていなければあるいは会えていたのかも知れないのに――

取り返しのつかないことを積み重ねていくのが人生ならば、今まさに穂波顕子はそのまっただ中にあった。

*

〈――であり、依然としてこの警官が何故このような突然の凶行《きょうこう》に至ったかはまったく不明のままです。現場には――〉

テレビでアナウンサーが喋っているのを、穂波弘《ひろし》は食い入るように見つめている。

その少年の後ろには一人の男が立っている。

「……どうやら、イカれた警官の発作的犯行と言うことに収まったみたいだな」

背の低い男で、薄紫色の身体にフィットした詰め襟のスーツを着ている。年齢はよくわからない。少年のような顔つきだが、子供と言うには少し目つきが鋭すぎる。

人は彼をフォルテッシモとかリィ舞阪《まいさか》とかいう名で呼ぶが、それらが本名なのかどうかは定かではない。

「もう、高代さんと姉ちゃんの容疑は晴れたみたいだね！」

弘は顔をぱっと輝かせた。

「警察関係で言うなら、そうだろうな」

フォルテッシモは静かに言った。

「やったあ！　これでもう帰れるのかな？」

「どうかな……警察が退《しりぞ》いたということは、その後ろにいる連中が出てくると言うことでもあるぞ。もう少しここにいた方がいい」

「ちぇっ……」

弘は舌打ちした。そして広々とした室内を見渡す。

床の絨毯《じゅうたん》は毛足が十センチくらいはあるのではないかという高級品で、高い高い天井からぶら下がっているのはシャンデリアだ。それにちりばめられているのは本物のクリスタルのようである。テーブルも彼には細かい名前はわからないが、本物の高価な木をそのままムクで削《けず》りだした物のようだ。ソファも馬鹿みたいに大きくて必要以上にふかふかしている。

そして目の前のテレビも彼の家の物よりも画面が二倍は大きい代物だ。横にはどでかいスピーカーがついている。高級品揃いの部屋なのだ。

そして——窓の外を見れば、眼下に街並みが一望できる。

ここは高層建築の、超高級ホテルのスイートルームなのだった。

当然、警官なども誰もここには来ない。こんなところにいるとは誰も思うまい。まさに盲点である。

フォルテッシモが〝安全な場所に行く〟と言ったとき、弘はてっきりもっといかにも隠れ家って感じのうらさびれた倉庫みたいなところに行くのかと思ったら、いきなりこんなところだったのだ。しかもフォルテッシモはホテルのフロントで完全に顔パスであっさりとこの部屋を取ってしまったのである。いったい一泊するのにどれくらいかかるのだろうか？

（とんでもない金持ちなのかなあ……？）

得体の知れないたたずまいからして、ただ者ではないとは思ってはいたが。

「でも学校はどうすんだい？　明日はもう月曜日だぜ」

「休みますという連絡をすればよかろう。君は落としそうな授業とかあるのか？」

「いや、別にないけど」

「では一日二日風邪をひいたと言っても教師は信じるだろう」

「……まあしょうがねえか。なあ姉ちゃん」

弘は顔を横に向けた。

そこにはさっきからずっと黙ったままで、穂波顕子が座っているのだった。

「……え、ええ。そうね」

穂波顕子である……どう見てもそうとしか見えない。だが本物の穂波顕子は深陽学園裏手の洞窟でひとり膝を抱えているのだ。ここにいるこの彼女はその姿を借りているだけである。

名前はパール。

人間に似せて創られた人造の生命体である。能力は常人離れした戦闘力と、そして他の人間に成り代わることのできる変身能力である。それで穂波顕子に化けているのだ。かつては統和《とうわ》機構《きこう》に属していたが、裏切って逃走し現在は反抗勢力に身を投じている。

その目的は統和機構が秘密の研究を進めていた特殊装置《ジ・エンブリオ》の回収にあったのだが……

（くそっ、あのサイドワインダーがトチ狂っていきなり売るはずのエンブリオを持って逃げたりするから、こんなことに……！）

……共に来た仲間たちは殺されるか撤退してしまって今では彼女がこの敵地に一人きり。そして統和機構でも最強と言われるフォルテッシモのすぐ側で、いつバレるかわからない穂波顕子の演技をし続けなければならなくなるとは——だがあきらめてはいない。なんとかしてこのヘビーな状況を切り抜けて、生き延びてみせる。もうエンブリオなど知ったことか。自分が生き延びられさえすれば、何をしてもかまわない……！

「なあ、顕子さん？」

いきなりフォルテッシモが訊いてきた。

「は、はい？」

「君は高代亨のことが好きなのか？」

「え？」

なんという答えにくいことを訊くのだこいつは……！

「そ、それは……いえそんなことは」

適当にごまかすしかない。

「そうなの？　でもさ姉ちゃん、なんか高代さんを前にしてたとき目ぇ輝いていたじゃん」

弘がまぜっかえす。フォルテッシモの正体を知らないこいつは呑気《のんき》なものだ、とパールは内心で舌打ちした。

「そ、そんなことはないわよ！」

精一杯の演技で照れて、怒ってみせる。背中には冷汗だ。

「まだつきあっているとかそういうところまでは行っていない訳か？」

「そ、それはその……そうです」

それは下調べでわかっている。確かこの二人はバイトが同じというだけの関係だ。あるいは隠れて交際しているのかも知れないが、それはこいつらにはわかるまい。

「なるほど……高代亨というのはどういう男だと思う？」

「ど、どうって……」

下手《へた》なことは言えない。ここは間抜けの振りをするしかあるまい。

「ええと……大きい人ですよね？」

「なんだよそれ？」

案の定《じょう》、弘が笑った。しかし妙に鋭いことを言うよりも笑われる方が安全だ。

「確かに背は高いな……だが精神的なものはどうかな？　奴はろくでなしなんじゃないのか？」

急に強い口調で言われて、パールは反応に困る。

「そ、そんなことは……」

「危機が目の前に迫ったら、逃げることもできずぼけっとしているだけのでくのぼうなんじゃないのか、奴は？」

はっきりと、その声には怒りというか、不機嫌なものが混じっていた。

（こいつらの間に何かあったのか？　そういえば、高代亨とこいつはあのときやりあっていたが……そこで何かが？）

「いや、そんなことはねえよ！」

ここで弘が反論した。

「高代さんは強いぜ。拳銃にもひるまないんだからさ」

「それは相手が自分よりも弱いと見極めていたからじゃないのか。どうしようもなくなると、奴はウサギ並みに縮こまるんじゃないのか」

「いやそんなことはねえよ！」

弘は、少し会っただけの高代亨にどこか心酔しているようだ。パールたちが最初にこの穂波弘を襲おうとしたとき高代亨に撃退された、あのときの印象だろう。

（……となると、私もこの〝弟〟に追従した方がよさそうだ）

パールは内心でうなずく。

「そ、そうですよ。高代さんはそんな人じゃありません。勇気があって、力もあって、そう、まるで」

「サムライ、か?」

言いかけたところで先回りされたので、パールの心臓はひっくり返りそうになる。

「そ……そうです」

あの男は、自分のことをそんな風に呼んでいたのだ。これは間違いない。

「サムライね」

フォルテッシモは鼻先で笑う。

「知ってるか? 侍《さむらい》とか騎士とかいう存在がなんだか立派なもののような気がするのは、戦乱の時代が終わった後で、そいつらの実際の姿が見えなくなってから美化されたためなんだぞ」

「え?」

「実際にそいつらが本当に戦っていた時代じゃあ、何のことはないただの暴力者だからな。日本でも武士道だのなんだの言われ始めるのは、侍が実際には戦わなくなった江戸時代からだし、ヨーロッパの騎士道の方も同様——そういう言葉が使われだすのは馬に乗った騎士なんぞでは話にならないくらいに戦争の技術が発達した後のことだ。要するに、役に立たなくなったから、せめてイメージ的なものとして残しておいてやろうという、その程度の概念なわけだな」

意外と博識なところを見せた。一体この少年のような男は何歳なのだろうか、とパールは疑念を持つ。まさか本当にそういう時代から生きていたのだろうか——あり得ない話だが、そんな気すらした。だがこの男がいわゆる〝歴史の重み〟とかそういうものをまるで歯牙《しが》にかけていないのは確かなようだ。

「高代亭がどういうつもりで〝サムライ〟などと言っていたのかは知らん。だが奴は、そんなことを言っていた分だけ現実から逃避していたんだよ」

言葉は理性的なのだが、その分なにか逆にそう——むきになっている、そんな言い方だった。

（高代亭とこのフォルテッシモ——両者の間に何があったというのだ？）

そういえばフォルテッシモに狙われていたのに高代亭は生き延びている。こんなことは過去のこいつからは考えられないことだ。

（なにかその辺に、私がつけ込む隙があるかも知れぬ……）

パールはそんなことを考えながらも、顔では好きな男を悪く言うフォルテッシモに腹を立てている恋する少女の顔つきを崩していない。

そう、これは勝負だった。

フォルテッシモはあるいはすでにパールの正体は知っていて、その上でただ遊んでいるに過ぎないのかも知れない。だがそれでも、いやそれだからこそ、いつか絶対にチャンスが巡ってくるはずだ……！

（そうとも……私はいつだってそうやって生き抜いてきたのだ）

統和機構で、同タイプのマンティコアという合成人間が反逆を起こしたために彼女も処分されそうになったときも間一髪《かんいっぱつ》で逃げることができた。あのときも今も同じだった。

（生きるということが薄氷の上を歩くに等しいことであっても、私はその上を走り抜いてやる……！）

パールは、相手が最強のフォルテッシモで、かつ自分にはとぼけ通す演技しか手札《カード》のない勝負であっても、おりるつもりはさらさらなかった。

（絶対に負けない。私が生き延びれば、それが勝利だ……！）

パールはそんなことを思いながらも、傍目《はため》には、

「でも、高代さんは思いやりのある人ですよ」

などとフォルテッシモに精一杯の抗議をする少女なのだった。

「やれやれ」

フォルテッシモは肩をすくめて、薄く笑った。

底の読めない、そういう笑い方だった。

*

そして……その問題の男は今、警察署の留置場にいた。

寝台の上に座り込んで、左眼をつぶっている。右眼はすでにない。医者がひどく傷ついてもはや処置のしようのないそれを摘出してしまったのだ。実際それは適切な処置だった。その傷は塞《ふさ》がることがなく、放っておけばいつまでも血が流れ続けただろう。その傷ぐるみえぐり取れば、その後でなら治りもするのだ。包帯が巻かれてはいるが、もうそれを取ってもさほど影響のないくらいだ。

「…………」

もっとも、それでも傷の一部はいまひとつ塞がりきっていない。どうかすると右眼の痕《あと》の、眉から頬の上にまで走っている一筋の傷から、たらっ、と血が包帯の下から流れ落ちる。そしてこのえぐり取る治療は谷口正樹には無理なのだ。損傷部が多すぎて、それをえぐっていったらそれだけで充分に〝致命傷〟になってしまうからである。

そのことはこの男はもちろん知っていた。

「…………」

彼は、何時間もずっと左の瞼を閉じて、闇の中にいる。

彼にはどうすることもできない。

だがどうにかしなくては生きていくこともできない。

「…………」

時折、彼の身長百九十センチ、体重七十五キロの大きいが細い身体がぶるぶるぶるぶると震える。

そしてない右眼から血が、まるで涙のようにたらり、たらりと流れ落ちる。

「…………」

だが、それでも男は、一時やっていたように絶叫して留置場の壁に頭を打ちつけるといったことは既にしなくなっている。

静かに、じっと、心の中から何かを見つけだそうとしているかのように、ただ闇の中に座っているのだ。


「……どうだ、高代亨の様子は？」

留置場に、怪我《けが》をした肩を保護するために腕を吊っている警官がやってきて、看守役の巡査に訊《たず》ねかけた。彼は、高代亨と実際にやりあった中の一人だった。そして高代亨の処遇を決する際に〝警官に対しての殺意はなかった。正当防衛だ〟と証言した一人でもある。

「……今はおとなしくなっているんですが、なんかそれが逆に不気味ですよ。動きもしないし、こっちが差し入れた飯にも手を付けないんです。もう何時間も水一滴飲まないし、小便もしていないんですよ奴は」

巡査はぼやくように言った。

「……まるで断食《だんじき》の荒行《あらぎょう》をしている武芸者みたいだな」

亨の様子を蔭から見て、警官はぼそりと呟《つぶや》いた。

「まさか、友達の後を追って殉死《じゅんし》しようって言うんじゃないでしょうね？」

巡査は蒼《あお》い顔になっている。そんなまさか、とも思うのだが、しかしなんだかあの男は妙に大時代的というか、古武士のようなにおいがするのだ。やりかねない感じは充分にある。

「まだあの谷口って子は死んでないよ。助からないと決まった訳じゃない」

警官がたしなめるように言った。

「それに……奴の顔つき、そういう〝覚悟ある者〟といった感じじゃないな。もっとなんというか――切羽《せっぱ》詰まっている、そんな気がするな」

「落ち着いちゃいないってわけですか。でも動かないですよ？」

「……前にも似たような人を見たことがある。あれは剣道の全国大会のときだったが……優勝した人が、試合の間の待機時間中ずっとああいう感じでいたよ。何をしていたのか、と後から聞いたら、頭の中で戦いの筋道をずっと考えていたって言うんだな。相手はこう打ってくるから、自分はこう動く、とかな」

「イメージトレーニングってやつですか。……じゃあ、あの高代亨は今、誰かと戦っている、そのイメージを頭に浮かべていると？」

「わからんが、そういう気配がする。なんだか一人であそこにいるんじゃなくて、相手を前にしているみたいにぴりぴりしていやがる……」

警官はひとりうなずいた。

「じ、じゃあその〝相手〟っていうのは誰なんです？　奴っこさんはどんな相手とやりあうつもりなんでしょうか？」

巡査は焦りつつ訊いた。高代亨の尋常でない集中ぶりから、なんだか……とんでもないことに挑戦しているような気がしたからだ。

「……尋問しても、あれじゃ答えないだろうなあ。黙秘ですらあるまい。奴にとっては、俺たちなど大した相手じゃないんだろう、既に」

警官は嘆息した。


「…………」

高代亨の耳にも、その男たちのひそひそ声は届いている。聞こえないと思っているのだろうが、いや実際に普段ならば聞こえない位置で話しているのだろうが、亨には聞こえるのだ。それは声でなく、伝わってくる気配を鋭敏な感覚で言葉のように感じているだけなのかも知れないが、しかしどっちにしろそんなことはどうでもよかった。

「…………」

どうせ、亨はそんな警官たちの〝しかし、すぐにでも出さないと色々面倒なようだぞ。あまり長いこと拘束していると、マスコミに嗅《か》ぎつけられる〟とか言ったような話をほとんど意識していない。聞こえているが、聴いていないのだ。

彼が、ずっと思っていることはたったひとつだった。

〝——〈それ〉をすることに果たして意味があるのか？〟

それぱかりを考えていた。

あの、最強を名乗った男に、いま一度《ひとたび》の手合わせを挑む。

彼は、確かにそれをせずにはいられないだろう。それで死ぬことになっても、おそらくはほとんど後悔もしないに違いない。だが、それは彼の意地や誇りなどよりも遥かに重要な問題である正樹の生命を救うことになるのだろうか？

いや、おそらくはなるまい。なるはずもない。それどころか逆に正樹の義姉である霧間《きりま》凪《なぎ》に余計な精神的負担を掛けるだけだろう。

（それでも、俺はそれをすることに意味を見出そうと言うのか？）

ただでさえ取り返しのつかぬ失敗を犯した負け犬でその上、そんな己のことしか考えないような傲慢《ごうまん》なエゴイストに、さらに堕《お》ちようというのか——この自分は？

恥知らずにも程がある……！

「…………」

彼の頬に、また血がひとすじ流れ落ちる。

進むこともできず、退くこともできず、高代亨の精神は無明《むみょう》の荒野をあてどなく孤独に彷徨《さまよ》っているのだった。

*

隠しトンネルの中で、穂波顕子は立ち上がった。

食事を買ってこなければならないのだ。トイレはすぐ側の公園に公衆トイレがあるから困らないが——飲むものと食べるものはさすがに山の中にはない。

近所にコンビニがある。あそこに行くしかない。

ここまで来たときのように、彼女は普段はかけていないファッション用の度なし伊達《だて》眼鏡をかけて変装した。

『そんなんでバレねーもんかねえ。学校の近所のコンビニだろう？　知り合いがいるかも知れねーぞ』

「日曜日よ——生徒はいないわよ」

『部活で来ているかも』

「うちの学校は、どの部活もそんなに熱心じゃないのよ」

顕子はナップザックを肩に歩き出した。

『しかしなあ、どだい無理があるっていうんだよ。おめーみたいなただの女の子がこんな山ん中に隠れるなんて』

「………」

『おまえが隠れている最大の理由は、能力だけじゃないだろう？　つまりはオレのせいだ』

「………」

『人から得体の知れない力を引っぱり出すオレはどんな災厄《さいやく》を世の中にまき散らすかも知れない……だから隠しておかなければ、そう思っているんだろう？』

「……だから何よ。だから〝オレを殺せばいい〟とか言わないでよ」

『……生きていてもしょうがない存在っていうのはあるんだよ』

「……そんなことをあんたが言っているうちは、意地でも殺してやらないからね」

顕子は吐き捨てるように言うと、山を降り始めた。

しかし──何故だろう？

こんな風なことばかり言い合っているのに、どうしてか彼女はこのエンブリオと話すことそれ自体は決して嫌ではないし、それどころかちょっぴり──ほんのちょっぴりだけ面白さも感じるのだ。事態が穏当でなさすぎるだけで、もしこれが本当にただのゲームだったら、彼女はさぞ楽しんでいるだろう。

何故なのか？

まるで昔なじみの知り合いと話しているかのようだ。内容は同じことばかりで言うことはわかっているのに、それでもうんざりするばかりでなく、どこかそれが心地よいような――

『――しかし、なんだかあんたとは妙に話が進むな』

エンブリオもそんなことを言い出した。

『サイドワインダーだって、こんなにオレと話はしなかったぜ』

「女の子はおしゃべりなのよ。話し相手がいれば、半分は相手が誰だっていいんだわ」

そんなことを言うが、顕子自身も不思議がってはいるのだ。

彼女は卵を胸に下げたまま、コンビニにこそこそと入っていった。

「黙ってなさいよ。あんたの声が誰かに聞こえたら大変なんだからね」

『へいへい。しかしそんなに都合よくオレの声が聞こえる奴がごろごろしていたりはしねーよ』

「だから黙っていろって言うのよ……！」

彼女はちょっときつい調子で言い、そしてあわてて周囲を見回す。

コンビニには他に客はなく、店員も一人が離れたレジであくびをしているだけだ。ほっとして彼女は息を吐いた。

そのときである。

「——すみません」

といきなり背後で声がした。

びっくりして振り向くと、そこに一人の女が立っていた。

客はいなかったのではない。すぐ後ろにいたのだ。ただ存在感が希薄すぎて気がつかなかったのである。

「ちょっとひとりごと言っちゃってたみたいですね。うるさかったですか」

女は静かに言った。どうやら〝黙っていろ〟というのを自分に言ったのだと勘違いしているらしい。

ということはエンブリオの声の方は聞こえていないと言うことだ。それは一安心だったが、しかし顕子には安心どころではないものが見えていた。

（こ、このひと——）

女の背中から肩にかけて、黒っぽい影がぼんやりと貼りついて見える。それは彼女にしか見えぬ〝こぼれ落ちる生命〟のヴィジョンだ。しかし別にこの女性は怪我をしているわけでもないし、病気でもなさそうである。それなのにこんなものが見えるということは……。

（この人は——近いうちに死ぬ……）

それが今、彼女に見えているということだった。

8

『その混乱の中で一筋の光明《こうみよう》を感じた気になりしも――』

柿崎皆代《かきざきみなよ》は半年前に仕事を辞めて、今は実家からの仕送りと失業保険でアパートに一人暮らしを続けている。

仕事を辞めた理由は〝一身上の都合〟で馘首《くび》になったわけではない。彼女が辞めた理由は上司も一緒に昼食を食べたりしていた同僚たちも知らない。

それは実に女性が仕事を辞めるにあたっては最も陳腐な理由のひとつ――男がらみだった。妊娠したのである。

だがその子供はお腹が大きくなる前に流れてしまった。以来彼女は呆然《ぼうぜん》として日々を過ごしている。日課と言えば、決して広くないアパートの中を毎日意味もなく掃除して、しかし料理などはせずにコンビニエンスストアに弁当などの食事の買い出しに行って、それを食べて、寝る――そんな単調なことを繰り返している。新しい仕事を見つけるとか、あるいは親元に帰るとかした方がいいのだろうが、どうも彼女は何もかもが面倒くさくて、そういうことを全然考えられないのだ。

そんなある日、彼女はいつものようにコンビニに買い出しに出た。

「あら、あの歯磨きなくなってる……」

彼女は陳列棚を見ながらぶつぶつと呟《つぶや》いた。このところ誰とも会わず、誰とも話していないうちにひとりごとの癖がいつのまにかついていた。もっとも囁《ささや》くような小声なので、ほとんど他人には聞こえない。

「しかたないわ……こっちのにしよう」

と彼女が商品を手に取ったそのときである。

「だから黙れって言うのよ！」

といきなり後ろで声がした。びっくりして振り向くと、そこには一人の女子高生と思《おぼ》しき少女が立っていた。

「すみません」

彼女が謝ると、少女はこっちを向いた。

なんだか蒼い顔をしている。

なおも皆代が謝ると、少女ははっと我に返ったように、

「い、いいえ。そんな……ごめんなさい、あなたに言ったんじゃないんです」

少女の方から謝ってきた。

「……？」

皆代はきょとんとした。そこに少女がなおも、

「え、えとその……あの！」

と何かを話しかけてこようとした。でも言葉にならないようで、口元をあうあうと震わせている。

「私になにか？」

皆代は訊き返す。

「え、えーとその……だ、大丈夫ですか?!」

急に、とんちんかんなことを言われた。

「……は？」

「あ、あなたその……えとその、た、大変なことがあるんじゃないですか？」

少女は唐突に言い出す。皆代は目を丸くした。

「あの……？」

「あ、あるはずなんです！　あなたはこのままだと——いえその、なんて言ったらいいのかよくわかんないんですけど——その、危ないんです！」

少女の眼は真剣で、切迫感があった。いわゆる宗教の勧誘のように、なんだか奇妙な自信と余裕を持ってこっちをどこかで馬鹿にしているような、ああいう雰囲気はかけらもない。

なんとなく——

なんとなく〝まるで少し前の自分みたいだ〟とかそんなようなことを思った。

とりあえず、彼女を導いてコンビニの外に出る。店内では話をしにくいからだ。

「えーと、あなた、お名前は――」

近くの公園のベンチで、皆代は少女に訊ねた。

「穂波顕子って言います。――あ」

名乗った後で、彼女はしまったという顔をした。名前を知られてはいけなかったのだろうか？

「穂波さん？　私の、何が危ないのかしら」

「いえそれはその……えーと」

「あなた、私を知っているの？　私は覚えがないけど」

「いえ、知らないんですけど、初めてお会いしたんですけど、その……」

しどろもどろだ。さっぱり要領を得ない。しょうがないので、皆代の方から名乗って、彼女の方から色々訊いてみた。

顕子はやはり女子高生だという。そこの深陽学園の生徒のようだ。それでここにいるのかと思ったのだが、その辺はどうもはっきりしたことは言わない。

要するに、なんで彼女が皆代に声をかけなくてはならないのか理由がまったくわからないのである。

「……さっき、変なことを言っていたわね。私のことを〝大丈夫ですか〟とかなんとか」

「は、はい」

「私の……なにが大丈夫じゃないの」

「そ、その……それが、い」

「い？」

「い――生命が」

顕子は言い難《にく》そうに、しかしはっきりとそう言った。

その途端に皆代の顔が、ぎしっ、と強張《こわば》った。


彼からプロポーズを受けたのは、彼女が妊娠していると自分で気がついて、そのことを伝えるべきかどうかと悩みだしたその日のことだった。彼女は泣いてしまった。

「ばかだなあ」

彼はそう言って笑った。彼女はそれでも笑うことはできず、涙が止まらなかった。

だがその、たったの一週間後のことである。彼があっけなく死んでしまった。つまらない、ごくありふれた交通事故だった。交差点を横断していたところで、いきなり曲がってきた信号無視の車に轢《ひ》かれたのだ。その車もハンドルを切り損《そこ》ないコンクリート塀《べい》に激突、運転手は即死した。恨みのぶつけるところはどこにもなかった。

彼女は、よく考えてみると自分と彼のことを知っている者が誰もいないことにそのとき気がついた。同じ会社の社員同士で、社内恋愛が禁じられていたので内緒にしていたのだ。お互いの両親に紹介しようとしていたが、その連絡もまだだった。

そして彼女は、その胎内で生まれつつあった生命も失った。それが起きたときは、まさかそれがそうだとは思わなかった。だが医者は首を横に振って「流産しました」と告げたのだ。

「まだ胚の状態だったので、それほどの症状が出なかっただけです。もう——あなたのお腹に赤ちゃんはいません」

彼女は、その言葉にどう反応していいのかよくわからなかった。

要するに、何もかもが〝なかったこと〟になった訳だな、と納得したのは会社を辞めてからだった。会社にはいられなかった。別に彼とのことを勘づかれたとかそういうことではない。ただ、もうそこにはいられなかった。彼がいなくとも何ということもなくただ進められるだけの仕事に、もうついていけなかっただけだった。

しかし、別に仕事を辞めたからと言って生活をしなくてすむわけでもないし、放っておけば部屋にゴミもたまっていく。彼女はぼんやりとしながらも、そういうものを片づけながら日々を過ごしている。

何も考えることなく、ただ生きているのだ。そこにはおそらく理由などない。そういうものなのだろう。

だが——だが、今。

今この、初めて会ったばかりの少女はその彼女の生命が危ないのだという。

どうして？

どうして私の生命などが問題になるのだろう？


「生命……」

その単語を聞いたとたんに、皆代の様子がなんだか変わった。妙に焦点があっていないというか、ぼんやりとした顔つきになっている。

「そう……なんです。変なこと言っているみたいですが」

顕子は頭を振りながら、言葉を必死で探す。どうやって説明すればいいのかまるでわからないが、なんとかして伝えなくてはならないのだ。

「生命って……それ、どういう意味？」

皆代の顔色が悪い。紙のように白くなっている。

「生きている理由、とか――そういうことが言いたいの？」

「い、いやなんていうか。あなたに〝死〟が見えるんです。いやそうじゃなくて――」

顕子は、日常の言葉という奴は、なんとモノを伝えるのに適さないのだろうと焦っていた。

肝心のことを言おうとすると、どうしても変な言い方になってしまう。なんという不自由さだ。

いったいこれまで自分はこんな融通の利かぬもので、どうやって他人と意志を通わせていたのだろうか？

しかし顕子が言葉に詰まっている間に、皆代の方が先に喋りだした。

「理由——そんなものがあるの？」

押し殺したような声だ。

「そんなものがあるって、あなたなんかに言い切ることができるの？」

「え？」

強い声に、顕子は戸惑った。彼女は知らなかった。皆代の心の中で、ずっと隠されていて、そして押されるのを待っていた〝スイッチ〟を自分が押してしまったのだということを。

「どうして今、まだ自分が生きているのか——そんなことが誰にわかるって言うのよ！」

突然に爆発した。

（な、なに？）

顕子が混乱したそこに、エンブリオが口を挟んできた。

『人の心だよ』

（え？　なんのことよ？）

『人の心は時限爆弾のようなもの……自分でも知らないうちに、爆発する時をじっと待っている……こいつも、おそらくは自分が〝死んでもいい〟と思えるそのときをずっと待っていたに違いない』

（な、なんですって？　そ、それじゃあ……）

彼女が他人には聞こえぬ会話をしている間にも、皆代は言葉を吐き出している。

「わ、私は……私はなんで生きているの？　あの人も死んで、お腹に赤ちゃんももういなくて、それでも私だけが生きている理由というのは……いったい何なのよ！」

彼女は、ずっとそのことを考えないようにしてきた。考えることに耐えられなかったということもあるし――人間の精神というのは、自動的に体力の問題から思考内容にセーブがかかる――そのことを不用意に考えてしまって、いざというときの決意が鈍るのを本能的に避けていたのだ。

決意や行動にとっての最大の障害とは、実は〝馴れ〟である。どんな切実なことであっても〝いつかやる〟と思い続けていると、いつのまにかどうでもよくなってしまうものだ。彼女はそれを無意識に知っていた。だからそのことは考えないようにしていた。

だが、どこかでもう覚悟は終わっていた。だから一人暮らしであっても常に部屋は綺麗《きれい》に片づけていたし、冷蔵庫には腐るような食料は何も入っていない。細々としたものまですべてコンビニの買い出しですませていたからだ。

彼女がこの世からいついなくなってもいいような、そのための準備はとっくに終わっていたのだ。

それがいつ来るのか、彼女自身にもわかってはいなかった。あるいは車の走る路上にふらりと倒れかかることかも知れない。駅のホームから転落することかも知れない。ビルの屋上でフェンスを乗り越えてしまうことかも知れない。

それを発作的と言えばそうなのだろう。だが実際にはそれはずっと起こるそのときを待ち続けて、そして……

「わ、私は私は……」

……だが、彼女はそのことに気がついてしまった。

「私は……私も一緒に死にたかったんだわ……！」

それだけを言うと、彼女の身体は前のめりに倒れ込んだ。自分の膝に額を押しつけて、彼女は泣いていた。

「…………」

顕子はどうしていいのかわからない。

事情は、なんとなく今の一連の言葉から推測がつく。この人はとても大切な人を失ってしまったショックから、無意識のうちでは跡を追って死ぬ気でいたのだ。それを顕子が指摘してしまったのである。

『で、どうする気なんだよ』

エンブリオがまた口を挟んできた。

（ど、どうするって言ったって……）

そんなことがわかるはずがないではないか。こっちはただの小娘なのだ。大人の女の人が死ぬ気でいるのに何が言えるというのだ。

「あの……皆代さん」

しかし、それでも顕子はなんとか声を絞り出す。何かを言わなくてはいけない。このまま放っておいたら、それこそ道路に飛び出して自殺しかねない。何しろ彼女からはもう半分〝死〟が外にはみだしているのである。

「あなたに何があったのか、私は知らないし、そしてきっと詳しい話を聞いてもわからないでしょう。でも……」

彼女はすう、と息を一つ吸い込んだ。

「でもあなたが死ななければならないほどの苦痛を味わっているのはわかるわ。これは決して大袈裟《おおげさ》な言い方でもないし、しばらくすれば落ち着く、なんてものでもないことも私にはわかる。あなたはこのままだと本当に死んでしまうのよ」

震えそうになる声を必死で絞り出す。

「だから……だから逆に言わせてもらうわ。あなたは、死んだ人たちはあなたにひどいことをしたから、それに復讐《ふくしゅう》しようとか思っているの？」

「……」

皆代の肩がぴくっ、と震えた。

「あなたを置いて、勝手に先に死んでしまうなんてひどい、あんまりだ、そう思っているから……だから死にたいの？　その人たちは間違ってもあなたに死んで欲しいなんて思っていないはずなのに、いやだからこそ、あなたはその人たちに〝ざまあみろ〟と言うために、それで死にたいと思っている——私にはそうとしか思えない」

「…………」

皆代は応えない。

「だったら、その人たちがあなたに会ったことも、いいえ、たとえまだ生まれていなくて会うことができなかったとしても、えと、その〝生まれようとした気持ち〟も……そういうものは全部、その、あなたが〝死んでやる〟って決めたことで——本当に無駄になってしまうわよ」

顕子の声は、ところどころほとんど棒読みの下手くそな科白《せりふ》のようだった。

「…………」

皆代は動かない。

「生きていることというのは……きっと、その、本当は決して楽しいことではないんだわ。それは辛いことの方が多くて、だから死んでしまえるならその方がむしろ楽だということも確かにそうなんだわ。でも……でも少なくとも、あなたには〝一度は生まれようとした生命〟を悲しむという心があるのだから、それだけで、その……」

また顕子は言葉に詰まる。しかし彼女はすぐに続けた。

「その悲しみに押し潰《つぶ》されてはいけないという義務がある。そうでなければ、その〝生命〟はただあなたを悲しませるためだけに存在していたことになってしまうから。あなたはそういうことにしたいの？　それが、ほんとうにあなたの望みなの？」

彼女は言い切ると、ごくっ、と唾《つば》を飲んだ。

「…………」

皆代は相変わらず伏せたまま硬直している。

だがしばらくして、その肩が小刻みに震えだした。

「……うう」

そして、声が漏《も》れ出す。

「……ううう、う――」

それまでの泣き方とは違って、ほとんど呻《うめ》いていた。

「うううう……！」

そして彼女は、だん、と足で地面に踏みつけた。

何度も何度も、まるでだだっ子のようにうーうー呻いて、地団駄《じだんだ》を踏んでいるのだった。

泣きわめいていた。

悔しくて悔しくてたまらない――そういう暴れ方だった。悲しみはちっとも減ってはいないし、そしておそらくこれからも薄れることはあってても消えることはないのだろう。しかし――

なぜ悔しいのか、その理由はすなわち、自分の気持ちを断念しなければならないという、そういう苛立《いらだ》ちがそのまま出ているためだった。彼女の背中からは、すでに〝死〟は消えていたのだった。

そして彼女が真っ赤に泣きはらした顔を上げたとき、そこにはもう穂波顕子の姿はなかった。

「――はあ、はあ、はあ……！」

走って逃げてきた穂波顕子は、洞窟の中にへたりこんだ。

『しかし……名演説だったぜ』

エンブリオが話しかけてきた。

『おまえにあんなことが言えるとはな……いや正直、オレは』

「うるさいわよ！」

急に顕子は怒鳴った。

「冗談じゃないわよ！　こんな、こんな……こんな能力はもうたくさんだわ！」

彼女もまた泣いていた。

「重すぎるわよ！　人の〝死〟なんてそんなものは私には無理だわ！　かんべんしてよ！」

顔をくしゃくしゃにして、彼女は何度も何度も首を振る。

「あ、あんなものがいちいち見えるわけ？　あんなことをいちいち考えていなきゃならないわけ？　そんなことできるわけないわよ！」

　そこにいるのは、ごく普通の少女だった。さっきまでの立派な言葉を紡《つむ》いでいた態度などもうどこにもない。

　そう、そもそもああいう言葉すら彼女自身のものではない。あれは——どこだったか、誰だったか、とにかく彼女と同年代の、他の少女が言っていたような言葉をそのまま借りたのだ。ただし——その少女はその、たしか——よく思い出せない。

　それにキョウ兄ちゃんだ。あの子が生きていたら、あんなようなことを言ったのではないか。しかし彼も既に死んでいるのだ。彼女が死のうとしている人に言うべきことなど本当は何もないのだ。今の人は、あれはあの人が死んだ人に〝愛されていた〟という確信があったからああいうことが言えただけで、そうそう世界の人は皆——あんなに運が良い訳ではないのだ。

　あれはたまたまなのだ——そうでない状況に遭遇《そうぐう》したら、そのとき自分はどうすればいいのだ？

「無理よ、かんべんしてよ、助けてよ……」

　泣きじゃくりながら、顕子はべったりと腰を落として座り込んでしまっている。

『……助けて欲しいのか？』

　エンブリオが話しかけてきた。

『それなら——』

「殺してくれ、なら聞き飽きたわよ！」

悲鳴のように言う。だがこれにエンブリオは平然とした声で答えた。

『高代亨なら、おまえの助けになるのか？』

「……え？」

『あの男と会えば、おまえのその苦しみも少しは減るのか？』

「……どういう意味よ。あ、あんた……亨さんの居場所がわかるの……？」

『……はっきりとは言えないが、もしかしたらあいつは——〝呼ぶ〟かも知れない』

＊

「釈放だ」

看守がそう言ってきた。

しかし高代亨は動かない。

「…………」

眼を閉じ、じっと座り込んだままだ。

「……で、出ろって言ってるんだ！」

看守は、この間こいつが暴れて壁に頭を打ちつけたときに止めようとして引っ張り回された一人だった。だから手を出すのがちょっと怖い。

「………」

亨は何かを考え込んでいるようで、やはり腰を上げようとはしない。

「は、早くしろ！　身元引受人が来ているんだぞ！」

看守の焦《あせ》った声に、亨の肩がびくりと震えた。彼に身内はいない。だから来る者がいるとすれば、それは今回の事件の関係者ぐらいしか考えられない。

そして左眼を開ける。暗い房内であり、そこには何の光も映っていない。

「……霧間さんか？」

ぼそりと呟いた。だがこの言葉に看守は首を振った。

「寺月《てらつき》とかいう男だ。おまえと同い年ぐらいだよ」

「寺月……？」

聞き覚えのない名だ。

「寺月恭一郎《きょういちろう》、と名簿には書いてある。ほら早く出るんだ！」

やっと亨は腰を上げて、大きくて細い身体を牢《ろう》の外に出した。

署内を先導されて歩きながら、しかしやはり寺月恭一郎なる男のことはまったく思い当たらない。

そしてその部屋についたとき、亨の眼がその男を捉《とら》えた。

かすかに息を呑《の》む。

「——よお」

彼の姿を認めて手を上げてきた、そいつは確かに若い男だ。だが——

「……」

そいつのことなら、亨は知っていた。

*

「さて、なんか食うかい？」

身元引受人のその男は、警察署を出るとその足でファミリーレストランに亨を連れてきた。近くにもっといい店があるのか、客はほとんどいない。男がメニューを開いたりするその手に絹の手袋をしているのに亨は気がついた。

「……話は何だ、羽原健太郎《はばらけんたろう》さん」

亨は静かに言った。

すると男はニヤリと笑った。偽名《ぎめい》を使ったことには何のやましさもなかったようだ。

「やはり知っていたか」

「霧間さんのところで、正樹の写真を見せてもらったときに、あんたも写っていた」

「なるほどな。それじゃ話は早い」

健太郎はうなずいた。

「おれは凪の友達だ。もちろん正樹とも親しい。少なくともおたくよりはつきあいは長いな。凪は今、行方不明の穂波姉弟を必死で探している。だからおれがおたくの所に来た」

「……正樹の容体は？」

「悪い」

健太郎は間髪《かんぱつ》入れずに言った。亨は返事ができず、押し黙る。健太郎もそれ以上何も言わない。

しばらく沈黙が落ちている間に、ウェイトレスが注文を取りに来た。健太郎はオレンジジュースを二つ、亨に訊きもせずに注文した。

やがてそれが運ばれてくると、健太郎が「ふう」と息を吐いた。

「さて……話をする前に、おたくが何ができるのか、おれとしては確認しとかなきゃならない」

「……？」

亨は顔を上げて健太郎を見た。

「おたくは何ができる？」

健太郎は平然と言う。

「…………」

亨は少しのあいだ無言だったが、やがてお冷《ひ》やの入ったグラスを手に取ると、それを一気に飲んだ。

空になったグラスをテーブルに置くと、その上を人差し指でちょい、と叩いた。グラスはくるくると回りだして、やがてまっぷたつになってテーブルの上に転がる。

「…………」

そして亨はその二つになったグラスを手に取ると、合わせて、そしてオレンジジュースについてきたストローを使って健太郎のお冷やから水を一滴吸い上げると、それをグラスの切断面に垂らした。

そのグラスを、健太郎に渡す。

「ほお……」

健太郎はそれをいじり回すが、確かに二つに割れているはずのグラスは水の表面張力によってぴたりとくっついて離れない。切断面が余りにもなめらかなので、ちょうど二枚のガラス板を水でくっつけられるのと同じように接着されてしまったのだ。

「どういう理屈だ？」

「俺にはグラスに、ここを叩けば割れる、という線が見える。そこを打った」

淡々と言った。

「なるほど……面白い能力だな」

健太郎はグラスでテーブルをこんこんと叩いたりするが、グラスはびくともしない。もしかすると、店の者が水洗いをし続ければ接着剤たる水がいつまでも乾燥せず、ずっとこのままなのかも知れない。

「要するに〝急所を見つけてそれを攻撃できる〟というわけだな。戦闘能力としては充分だ」

「……俺に何をしろというんだ？」

「おたく、自分がやりあった相手のことを知っているか？」

訊かれても健太郎は答えず、逆に訊き返してきた。

「おまえがやられた相手——あの〝フォルテッシモ〟とかいう奴は、どうも統和機構でも特別な位置にいるらしい……おれが調べた限りでは、どっちかというと味方扱いされていないんじゃないかという気すらする」

「……それが？」

亨は健太郎の眼を見つめているが、健太郎は彼と眼を合わせない。

「統和機構は、奴を扱いかねている……そういうことらしいんだよな、これが。ならば奴を何らかの形で、任務を放り出させて、暴走させることができるなら、これは統和機構の尻尾《しっぽ》を摑《つか》まえるのに絶好のチャンスということになる——隙ができるはずだ。そこをついてデータを集めるだけ集める」

「……何が言いたいんだ？」

「凪は――」

健太郎は、やはり直接亨の問いには答えない。

「凪のやつは、いつか必ず統和機構と正面からぶつかる。これはもう避けられないことだ。だからそのときのために、こっちとしては相手のことをできるだけ知っておかなくてはならないんだよ。凪本人は、まだ統和機構のことをほとんど知らないからな……」

健太郎はため息をついた。

「知らせるべきかどうかも、おれにはまだわからん。だがおれとしてはできるだけのことをしておかなきゃならないんだよ」

「……あんた、霧間さんのなんなんだ？」

「相棒志願者さ。いや……もっと正確に言うなら、かつて助けてもらったことがある〝恩人〟だよ、おれにとって凪はな」

「…………」

亨は眼を伏せた。

「……つまり、戦え、というのか？　俺にもう一度――あのフォルテッシモと？」

「凪には内緒でな。あいつが知ったら、絶対に止めるからな。なにしろ勝ち目がほぼないんだからな」

「……それは知っている」

「ならば結構。おたくに都合のいい場所をこっちでセッティングしてやる。向こうを呼び出す方法も用意してある。おたくはただ、奴との戦いに集中すればいい」

しれっとした態度で、健太郎は言う。しかしそれは要するに亨に〝死ね〟と言っているのと同じことだった。

「……命に代えても俺に正樹の仇《かたき》を討て、と言うのか、あんたは？」

亨が言うと、健太郎は急にジュースのグラスを乱暴に摑み、それを一気にあおった。

「――ふう」

息を吐いて、グラスを置くと、彼は沈んだ声で言い始める。

「知ってるだろう、織機綺ちゃん。あの子よ――泣かねーんだよ」

「え……」

「大好きな正樹が死線をさまよっているっていうのに、涙一つ、苦しそうな顔ひとつしねーんだよ、あの子は……ただ、じっとあいつの側で見守り続けているんだよ、昼も夜もずーっと、だ」

「…………」

「とてもじゃないが、おれも凪もその場にいることができねー……いたたまれなくて、どうしようもねえ。……ええ、わかるか亨さんよ？」

健太郎は、初めて亨の顔をまともに見た。そのとき亨は、確かにこの男は正樹をひどい目に合わせる元凶《げんきょう》になった亨のことを怒っているのを実感した。

「正樹のために戦っているのは、おれやおたくなんかじゃねーんだよ。織機綺、彼女がそれをやっているんだ……！」

震える声で、押し出すように言う。

「おれたちにはもう、何もできることはねーんだよ。だから……だから仕方がない、おれみたいなハンパヤローが、せめてこの状況を利用して、凪の未来に役立てるようにするしかないんだ……！」

健太郎の歯軋《はぎし》りが、今にも周囲に聞こえてきそうだった。

「………」

亨は無言だ。

健太郎は一枚のキャッシュカードを出すと、テーブルの上に放った。

「そいつは違法品だ。ひとつの店でしか引き出せないが、全部で二百万ぐらいまでなら引っ張れる。無人の引き出し口で、カメラから顔を逸《そ》らしながら出すだけ出してすぐに逃げれば、その金はおたくのものだ。足はつかない。おたくとは関係のないところから出ている代物だからな」

「………」

亨はカードを特に見ない。おそらくそれは〝報酬〟というよりも〝支度金〟ということなのだろう。受け取れば、この仕事を引き受けたと見なされる訳だ。

だがそれでも、亨は別にそのカードを見ない。

ただ、自分の内側を見つめているように、その隻眼《せきがん》を宙に固定して、どこも見ていない。

「……やるのか、やらないのか、どっちなんだ……？」

じろっ、と睨《にら》みつけながら健太郎は訊いてきた。

亨は訊き返す。

「……どうして、あんたは俺の所に来たんだ？」

「あ？」

「俺が……あんたの提案を呑むつもりなんかなかったら、どうするつもりなんだ？」

「そうするのか？」

「……そういうことを訊いているんじゃない。なんであんたは俺なんかを、そう……信用して、賭《か》けてみる気になったんだ？」

亨は真剣な表情で訊いた。だが健太郎は首を横に振った。

「おたくなんか全然信じちゃいねーよ、残念ながらな。ただ……」

「……？」

「正樹も凪も、おたくのことを信じた。だからおれとしては、おたくを信じるという立場に立つしかねえ。それで裏切られたら、それはそれでやむを得ない」

肩をすくめた。

「…………」

この目の前の、羽原健太郎という男は亨の理解を超えていた。何を考えているのかまるでわからない。だが、ひとつだけはっきりしていることがあった。

もしも亨が〝そんなことできるか〟と言っても、こいつはそれはそれで、別の作戦を考えるだろう。そういうところには抜け目のなさそうなタイプだった。

そして、もうひとつ——

「……霧間さんには、本当に内緒にしておくんだな」

亨は念を押した。

「知られたら、おれが絶交されかねないからな」

健太郎はあっさりそう言った。

亨はうなずくと、クレジットカードを手に取った。

契約が成立したのだ。

「場所を用意できると言ったな。どういう所から選べるんだ？」

この問いに、健太郎は手持ちの鞄《かばん》から書類を何枚か取り出して、亨に渡す。

「その中から好きな所を取りな」

そこには色々な建物のリストが書いてあった。どれもこれも大きなビルや特殊な目的のために建てられたと思しき大型建築ばかりである。そしてそれらの横には、不思議なメモがついていた。

その内容は——それを読みながら、亨はもっともな疑問を口にする。

「何であんたがこんなことを知っている？　こいつらは一体なんだ？」

「そいつは遺産だ。ある名もなき男のな」

健太郎は静かに言う。

「おれには、ちょっとしたことでその手がかりを掴むきっかけがあった。それであれこれ調べてみたら、あるわあるわ、そういう建物がずらずら出てきた。それでチェックしていたんだが——」

彼はため息をつく。

「よく考えてみたら、いや考えなくてもそうなんだが、当然そういうチェックは統和機構もしているはずなんでな——それなのに放ったらかしにされているってのは、つまりはこいつらが〝使われるのを待っている〟罠《わな》である可能性が極めて高いと言うことだ。だからおれとしても利用法を見つけにくくてな。困っていたところだったんだ。だが——」

ニヤリと笑う。

「今回は、その〝罠〟ってところが逆に利用できる。向こうにチェックされなきゃ、こっちの〝相手を混乱させる〟役には立たないからな」

「…………」

亨には健太郎の話の半分も理解できない。なにやらこの男は過去に、すでに何者かと何度か戦っているらしい。この情報は、その副産物なのだ。

しかしこんなことに首を突っ込んでいるということは……

「…………」

亨は、あらためて健太郎の手を見る。そこには絹の手袋がはまっている。つまり……指紋を残さないようにしているということだ。この、どこにでもあるコピー用紙に、ありふれた字体でプリントされた紙切れにも、彼は直接触っていないに違いない。

「そいつは燃やしてくれ」

考えていることを悟られたのだろう、健太郎はそんなことを言ってきた。

「…………」

亨の目はまた書類に戻る。

そして、そのうちのひとつを見て隻眼をすっ、と細めた。

「――こいつがいい」

と健太郎に示す。

「ん？」

健太郎はそれを見て眉を寄せた。

「なんだって？　これはおれの今の言葉の駄洒落《だじゃれ》か？」

「こいつが最適だ」

亨は静かに言う。そこには冗談の匂いはない。

「──なるほど。まあおたくがそう言うんなら、そうなんだろうな。しかしなんだ、もしも万が一、ここまで準備があればもしかしてフォルテッシモを〝事故〟で巻き添えにできるって考えているなら、そいつは無駄だと思うぜ」

「わかっている」

亨は平然と首を縦に振る。

「……ま、いいけどよ。それじゃあ場所はここで、と。ところで……」

健太郎は懐から携帯電話を取り出した。

「おたくとフォルテッシモ──二人の間でだけ通じる暗号みたいなものはあるか？」

「？」

「おたくら話をしているだろう？　そのときに、なんかこう、キーワードみたいなものはなかったか？　他の者では、それがおまえとはわからないが、フォルテッシモにはおまえだとすぐにわかるような、そういう言葉が」

健太郎の言葉に、亨はしばらく無言だったが、すぐに、

「……くっくっく」

とおかしそうに笑いはじめた。

「何がおかしい?」

「いや——羽原さん、あんたは結局は、俺のことなんかどうでもいいんだな?」

亭はすっかりくだけたものの言い方に豹変《ひょうへん》した。

「俺が戦おうが、逃げ出そうが、そんなことはどうでもいいんだ。要するにあんたとしては、フォルテッシモが何者かの挑戦を受けた、そういう事実がありさえすれば良くて、そのためのキーワードを聞き出すことが第一の目的なんだろう?」

「…………」

「いや、妙だとは思ったんだよ。そんなに簡単に、大金や決闘の場所まで用意して、俺に戦う気が本当にあると信じているはずがないってな。普通だったら絶対にビビッて二度と戦おうなんて思わないもんな。だがプライドって言うか、そういうものならあるだろう。口だけなら戦うって、誰だって言う。金も欲しいだろうしな。だから相手がどんな奴であれ、目的は達せられるんだ。へへへ、考えたもんだなあ?」

「——だから何だ?」

健太郎は、この亭のいきなりの多弁ぶりに少し戸惑っているようだ。

「いやいや、心配するなよ。キーワードだろう? あるとも。フォルテッシモの奴の方から言ってきた言葉が確かにある。〝イナズマ〟だ。それで奴にだけ理解できる」

「イナズマ？　それは日本語での意味でいいのか」

「さてな。だが奴には確かに通じるぜ」

亨はニヤリと笑った。

「……よかろう。信じよう。イナズマ、ね……アルファベットで書いてもわかるのか？」

「問題ないだろう。ますます暗号めいていいんじゃないか」

亨はにやにやしながら言う。

「ま、ここまでぶっちゃけちまったんだから、あんたは当然、決闘のその場所に確認になんか来ないよな？　危険だもんなあ――」

まったく信用できない、浮《うわ》ついたものの言い方である。

そう――亨にはわかっていた。谷口正樹の姉、霧間凪がこれからどうなるかはわからない。しかしそのときにはこの羽原健太郎の助けが必要なのだと。こんなことで、つまらない負い目を彼が持っていることはないのだ。

戦うのは、自分が勝手にやることなのである。誰の命令でもない。自分が、ただ個人の願望を果たすための独りよがりな行為なのだ。

だから――ここで変な仲間意識を持たれては困るのだ。人の情けは、切らなくてはならない――。

「…………」

健太郎は、携帯電話のボタンを押して、何やら記号入力をしている。

そして亨にそれを手渡した。

「発信ボタンを押せば、メッセージが発信される。押したらそいつは捨てろ」

「へいへい。押すだけでいいんだな？」

「ここでは押すなよ。最低でもここから一キロは離れてからにしろ。探知はできないと思うが、用心に越したことはないからな」

「ははっ、ボタンひとつで二百万か」

亨はすっかり軽薄な態度で、電話を受け取った。

「日付と時刻は、その書類に書いてある通りだ」

「へへへ。決闘の約束なんて初めてだよ。すっぽかすのもな。おっと、これは言っちゃまずいか」

亨は書類をポケットに押し込んだ。

そして立ち上がろうとする。

「じゃあな。二度と会わねーだろうな俺たち」

「だろうな。……ああ、ちょっと待て」

健太郎はポケットに手を入れて、ひとつの鍵を取り出した。

「こいつも持って行け。地下鉄駅の、東口の大型コインロッカーだ」

鍵を受け取って、亨は眉を寄せた。

「中身は何だ？」

「……法律違反のオマケだ。銃刀法違反の、な。ゴルフバッグに入ってる。値段は大したことないんだが、なんでも戦国時代の、名もない刀工の、モノホンの人斬《ひとぎ》り用の、バリバリの実用品らしい。油紙にくるまれて田舎の倉庫に転がっていたのを、爺《じい》ちゃんが死んだとき形見分けでもらったんだ」

「……？」

「いや、そいつは渡す気はなかったんだがな。ああその通り……おたくはどうせ金だけ貰《もら》ってトンズラするだろうと思ってたからよ」

健太郎はやれやれ、と首を振った。

「まさか本当に〝サムライ〟だとは思ってなかった。見くびっていたよ。謝る」

そして頭を下げた。

「……何を言ってるんだ？」

亨は戸惑った。

「いやいや……おれは頭でっかちの若造だが、それでもこいつだけは誇りにしていることがあるんだよ。おれは、凪に会って、そしてすぐにあいつが〝スゲエ奴〟だってことを見抜いた。なんてのか、本気の人間って奴をおれは区別できるんだよ。おたくは、おれをこれ以上巻き込まないようにしている。おれから話を持ちかけたにも関わらずな……へっ、ありがたく乗せてもらうよ。おれは近づかない。おたくの邪魔はしねー。だがよ、だったら〝餞別《せんべつ》〟くらい渡してもいいだろう?」

「…………」

亨は鍵を握ったまま停まっている。

「…………」

健太郎は黙って、そんな彼を見ている。

「……何故だ」

やがて亨が訊いた。

「どうして、あんたたちはそうやって、俺に……」

潰《つぶ》れた右眼から、血がすうっ、と一滴流れ落ちた。

鍵を握りしめる。

「……ありがたく頂戴《ちようだい》する」

そして亨は、言われたとおりにコインロッカーの前に立ち、中身を開けた。

確かに、ゴルフバッグがひとつ入れられていた。中を見てみると、実用一点張りのやけに太い、錆止《さびど》めだけのための乱暴な漆《うるしぬ》塗りによる黒ずんだ鉄の鞘《さや》に、試し振りのための簡易な木の柄《つか》という、それぞれバラバラなおよそ外見に気を使っていない素《そ》っ気《け》ない大太刀《おおだち》が一本入っていた。

ずしり、と重い。生後一年の赤ん坊よりも遙かに重い。

「――――」

ロッカーの扉に隠して、少しだけ抜いてみる。

よく日本刀は、その刀身の美しさが語られるが、それはそういう意味では決して美しい刀ではなかった。光っているというより、鈍く沈んだ色合いをしていた。

だが、亨には一目でわかった。

その刀には、どこにも〝線〟が見えなかったのだ。脆《もろ》いところがない――刀身すべてが極めて高い剛性で統一されている。まさに戦場で絶対に折れぬように鍛えられた物に違いなかった。

実戦においては、実は刀の切れ味は二の次だという。切れ味は反面、それが鈍ったときの落差を生む。何度も撃ち合い、泥がかぶり、血を浴びて、脂にまみれた刀はとてもではないがカッターナイフのような〝切る〟道具としては使えない。それはもう〝鈍器〟と化すのだ。それでも敵を斬り裂くのは、実は刃《やいば》の鋭さではなく、使い手が恐るべき速さで殴りつけながら引くためであり、つまりは〝摩擦《まさつ》〟こそが実戦での刀の切断原理なのだ。頑強でなければ何の役にも立たないのである。

これは、正《まさ》しくそういう風に使われていた業物《わざもの》に違いなかった。

「…………」

亨はバッグを取り出して、肩に担《かつ》いだ。

そして歩き出しながら、渡された携帯電話を手にする。

そのボタンをひとつ押せば、もはや後戻りはできないのだ。

既に今は、もうここから遠く離れているはずの羽原健太郎は別れ際にこう言った。

「なんてのかな、たしか聞いたことがあるんだが、サムライっていうのは〝恥を知る者〟とかゆーよーなニュアンスもあるらしい。だから、こいつはかなわないと思ったらすぐ逃げることもサムライとしては正しいんだぜ。わかるよな」

「……まともにやり合うな、と言いたいのか」

「無駄死にはするなってことだよ。個人的には好きな動物なんで、この言い方は嫌いなんだが……どうしようもねぇ相手にただ突っ込むだけじゃ犬死にがオチだぞ」

「犬、か」

主人をなくした犬はどうやって生きていくのか？

後戻り？

亨はかすかに笑う。

そいつは戻るところがある奴だけが使える言葉だ。自分にはもうそんなものはない。

彼はあっさりとボタンを押した。携帯電話の液晶画面にメッセージが無数に出てきた。その中にさりげなく混じって、その言葉が表示されていた。

〝INNAZZUMA〟

そして亨は発信が終わったことを確認すると、携帯電話を近くに停まっていたトラックの荷台に放り捨てた。既に急所を叩かれていた電話は砂利がいっぱい積まれていた荷台の上でばらばらになって、砂利の中に紛れ込んでいってしまった。

＊

「…………」

柿崎皆代は、すっかり日が暮れて、周りには誰もいなくなってしまった公園のベンチでまだうなだれていた。

死にたくて死にたくてしょうがなかったが、だがそんなことを考えてしまうことそれ自体がすでに彼女の中の生命力が回復しつつあるということの証だった。あの〝ホナミアキコ〟とかいう少女に言われたことが頭の中でぐるぐると回っていた。

「……ううう」

泣き続けていたので、喉《のど》も嗄《か》れている。それでも彼女は何か飲み物を買いに立つこともできない。

そんなときである。

彼女の前に、ひとつの影が立った。

「……こんなところで何をしているんだい？」

そう訊いてきた、その声はなんだか男だか女だかさっぱりわからない不思議な声だった。

「……うるさいわね、ほっといてよ」

皆代は無理矢理に声を絞り出す。

「しかし……穏やかじゃないだろう。〝死にたい〟とかなんとか」

どうやら皆代は一人でぶつぶつ呟いてしまっていたらしい。

「余計なお世話よ。ひとが何を考えていようがこっちの勝手でしょ……！」

「それはその通りだがね」

声はとぼけた言い方をした。

「しかし、それなら何だってこんなところで座り込んでいるんだい。ここで、誰かに何かを言われてショックでも受けない限り、こんな場所にわざわざ来て、それで泣いたりするかな」

「……だから何だって言うのよ……！」

「実は人を捜《さが》している。君に何かを言ったのは、一体どんな人だったんだい？」

「……誰を捜しているのよ？」

「自動的なぼくには未だによくわからないんだがね……とても危険な物を持っている奴だ」

「……だったら関係ないわよ。私に、あのお節介《せっかい》を言ったのはホナミアキコっていう女の子だったんだから……」

「穂波、顕子？」

声は意外そうに言った。

「確かにそう名乗ったのか？」

「そうよ」

「……もしかして、そいつは変なことを言っていなかったか？〝あなたの死が見える〟とかなんとか――」

「え？」

どうしてこいつは、そんなことを知っているのだ？

皆代は顔を上げた。

目の前の影は、暗いのでよく見えないが、なんだか人というより筒が地面から伸びているみたいな格好をしている。

「――なるほど、たまごを手にしているのは〝巫女《みこ》〟の生き残りの穂波顕子だったのか……とんだ偶然の悪戯《いたずら》だな」

影は静かに呟くと、あっさりときびすを返して呆然としている皆代の前から風のように去っていった。

9

『それは殻の中での、ひとときの成長過程のひとつ――』

スワロウバード。人間としての通称は瀬川風見《せがわかざみ》という。珍しい名前なのはこれが芸名だからだ。だから〝本名〟という奴は別に設定されているが、実際にはその〝本名〟を使う機会とか対人関係などは皆無《かいむ》という奇妙な立場にあるのが彼女である。カムフラージュとしての職業は女優だ。何本かの映画やテレビドラマで主演もしていて、それなりに人気者でもある。

彼女は統和機構の合成人間の一人だ。任務は特にない。というか、潜入型の統和機構の合成人間の基本的な任務はすべて〝MPLSの発見、及び対応〟もしくは〝裏切り者の発見、及び排除〟であるから、それ以外には特に任務はない、というべきか。

だから〝その任務〟は立場的にもその場所に行きやすいスワロウバードに与えられた。一流ホテルなら、女優がいくら行っても怪しまれない場所だ。いや別の意味では、有名人の女が一人でホテルに行くというのは怪しまれるかも知れないが、そういう関係の方の疑いなど統和機構には何の問題もない。

（とはいえ……）

毛皮のコートにサングラスと、いかにもな格好の彼女は、その豪華な内装の一流ホテルのエントランスを進みながら、内心で考える。

(統和機構のことだから、おそらくはこの任務に対して私がどのような反応を見せるのか、それも当然モニターしているわけよね……)

なにしろ相手が相手だ。

フォルテッシモ。あの最強と名高い男(だか女だか彼女は知らない)の様子を探れというのは、つまり相手にもしも本当に反抗の意志があるなら〝まず殺されてこい〟という意味でしかない。

(どうする……?)

あまり目立つ存在を統和機構は好まない。つい先日も一人やら、れ、て、い、る、のを彼女は知っていた。

それより何より、実際に彼女は内心では既に統和機構に対して忠誠意識がなくなっている。なんとかできるものなら、なんとかしたいところだ。

「瀬川様ですね?」

フロントのホテルマンがお辞儀《じぎ》して彼女を迎える。

「予約した部屋、空《あ》いてるかしら?」

「はい、もちろんでございます」

「一流だって聞いたから来たけど、大丈夫でしょうね？」

何が一流だ、と心の中では思う。ゴテゴテしている雰囲気は、シンプルなものが好きな彼女の性《しょう》に合わないことこの上ない。背筋が痒《かゆ》くなりそうだ。

「はいそれはもちろんでございます。きっとご満足いただけるはずです」

彼女はサインをして、部屋のキーを受け取った。そしてトランクを運ぶベルボーイと一緒にエレベーターに乗る。

下の階にあるショッピングモールを過ぎて、部屋まで直通状態になったところで、

「――鍵だ」

とベルボーイが差し出してきた。

「どうも」

スワロウバードはフォルテッシモと穂波姉弟が潜伏しているスイートルームの合い鍵を受け取る。

この連絡員は人間だろうか、合成人間だろうか――と彼女は考えたが、しかし知ったところで意味はないな、とすぐに割り切った。連携《れんけい》しろ、という命令は受けていない以上、こいつのことは無視した方がよい。監視役かどうか、などということも考えても仕方がない。要求されていること以上のことはしないというのが、生き延びるためのコツだった。

それよりもフォルテッシモというのがどんな奴なのか、そっちの方が問題だ。

ろうか？）

（中枢《アクシズ》に疑われるようなことをしたのか？　それとも凄《すご》すぎて常に監視対象になっているのだろうか？）

もし奴が本格的に統和機構に逆らうつもりであれば、自分はどうすべきか？

もしも噂が本当であるなら、奴の戦闘力は破格のはずだ。とても勝負にならない。彼女に戦う気はない。といっておとなしく彼女を逃がしてくれるとも思えない。

（どうする……？）

エレベーターが彼女が予約している階に停まると、ベルボーイがさっさと荷物を持って出ていってしまう。しかし彼女は降りずに、さらに上に向かわなくてはならない。

「…………」

彼女はエレベーターが到着するまでの間中、ずっと悩んでいた。だがそれは危険な発想であるため、独り言ですら口にはできないことだ。

もしかすると、これは逆にチャンスなのかも知れない、と——。

（もしも、フォルテッシモが裏切るとなったら、一緒についていった方がいいのかも知れない

……そうとも、なんといっても〝最強〟なのだ。おそらくこれほど頼りになる味方はいまい

……しかし）

それもフォルテッシモが仲間を欲しがるタイプかどうかわからない。そんなものはいらぬ、と言い出したら彼女は統和機構からは裏切り者で、フォルテッシモにも無用の者ということに

されるわけで行き場がなくなる。それだけは絶対に避けねばならない。

（どうするか……）

決めることができないまま、スワロウバードはフォルテッシモと穂波姉弟のいるスイートルームに到着した。

エレベーターが開くと、もうそこはスイートのフロアの一角である。通路はあるが、他の号室などはない。いくつかある部屋はすべて同じ客のためのものだ。

「………」

彼女は一歩、その中に足を踏み入れた。

辺りはしーん、としている。

「ミスター・リィ。いらっしゃいますか」

声をかけた。

しかし返答はない。

「ミスター……？」

とりあえず近くの部屋のドアをノックしてみるが、ちゃんと閉まっていなかったらしく叩いたら開いてしまった。中には誰もいない。

「……これは」

彼女はあちこちをのぞいてまわったが、やはりどこにもフォルテッシモと穂波姉弟の姿はない。消えていた。

「……どういうことだ？」

彼女は混乱した。いったいどういう風に報告すればよいのかわからなかった。そもそもフォルテッシモは本当にここにいたのか？

（……統和機構が、私をテストするための引っかけじゃなかったのか？）

そうとでも考えない限り、どうやったら高層建築のホテル最上階の部屋から誰にも見つからずに逃げ出すことができるというのだ？

とにかくフォルテッシモがここにいないのは彼女の責任ではない。ここはひとまず報告に行かなくては。あの、さっきの連絡員だ。あいつは彼女が泊まる手続きをとった部屋にいるはずだ。

（くそ、いったいどういうことなんだ？）

スワロウバードはエレベーターに乗って、下の階にまた降りた。

そして予約の部屋に入るなり声を上げた。

「おいどういうことだ！　フォルテッシモの影も形も──」

と、その声が途中で停まる。

「──え？」

連絡員は確かにそこにいた。ただし彼は、部屋の真ん中で倒れて、白眼をむいていた。ぴくりとも動かない。

そして、その向こうのソファに一人の男が座っていて、彼女の方に話しかけてきた。

「影も形も、別に隠れてはいないな」

そう言って、くすくすと笑う。

「…………」

その、まるで少年のようにも見える男のことを彼女は知らない。だが間違えようがない。

「あ、あなたが……フォルテッシモか？」

意外だった。まさかこっちに来ていたとは……。だが考えてみれば、誰にも見つからずにホテルから出られるはずがない以上、降りていないとみるのが自然——盲点を突かれた。

「えーと、あんたはなんていう名前なんだ？」

フォルテッシモは立ちすくんでいる彼女に訊ねる。

「スワロゥバード、です」

「なるほど、いい名前だな」

フォルテッシモはうなずく。

「それでスワロゥバード、あんたは統和機構から俺の様子を探れという指令を受けて来たわけだな？」

「……そうです」

素直に答えてしまう。逆らっても無駄——それが彼女にはわかっていた。彼女には人の心の様子を、その強化されている視力で顔の皮膚の様子を観察して見抜くという能力がある。それでわかる。

こいつは、彼女を殺すことなど何とも思っていないし、そして余裕はあっても油断などまったくしていない。もし彼女が不審な動きをしたら、即座に攻撃してくるだろう。

そして——それとは別に、特に彼女自体には何の敵意もない。それも確かなことだった。何のつもりかわからないが、このフォルテッシモは統和機構を裏切っているわけではないのだ。

「それで、どうするつもりだ？」

フォルテッシモはニヤニヤ笑っている。

「……殺したのですか」

彼女は倒れている連絡員に目をやった。

「だったらどうする？」

「いえ、あなたに身分を明かせなかったこいつが哀れだったな、と思うだけです。はっきりと構成員であると知らせないで接近したのですから、不用意だったと言えばそうですが」

彼女は淡々と言った。内心ではがたがた震えているのだが。

「ふむ」

フォルテッシモは感心したように鼻を鳴らした。

「冷静な判断だ。俺が今どっちにいても通用する答え方だな。なかなか頭がいいな」

「……どうも」

「俺が今どっちにいるのか、気にならないのか？　——ああ、愚問のようだな。もうわかっているわけだ。なるほど、そういう能力か」

フォルテッシモは一人うなずいている。これではどちらが顔色を読んでいるのかわからない。

「能力でもわからないことはありますが」

彼女が言うと、フォルテッシモはニヤリとした。

「そりゃそうだろうな。で、念押しの確認をするわけか？」

「その必要があれば、ですが」

「と、あんたはそう思っているが、実際のところはどうなんだろうな？」

「……と言いますと？」

「統和機構は、とにかくあんたを寄越して、それで反応を見ているのかも知れない。なにしろ連中、俺のところには一言も言ってこないからな」

「……？」

何やら訳のわからないことを言われてスワロウバードはとまどった。

「あんた、なんで急に自分が派遣されてきたのか、その理由を知っているか？　フォルテッシモの様子を何で急に探らなきゃならないのか、その必要性について知っているか？」

相変わらず、フォルテッシモは笑っている。スワロウバードは背筋が寒くなってくる。なんだ？　こいつは何を言おうとしているのだ？

（まさか――私に〝知っていてはいけないこと〟を吹き込もうというのか？）

それを彼女が知っていれば、それだけで統和機構に処分されるような、そういうものを――

「……知る必要性がありませんので」

彼女はなんとか声を絞り出す。

「そうか、ならば〝知りたくなければ俺が今ここであんたを殺す〟と言ったら、どうするね？」

その目つきは、完全に本気だった。嘘はついていないし、冗談を言っているのでもなかった。

「…………！」

スワロウバードは絶句した。

……二人が話しているその様子を、横のベッドルームからパールと穂波弘も覗《のぞ》き見していた。ただし二人はぼそぼそ声で、しかも統和機構の特殊言語で会話しているので内容はさっぱりわからない。

（くそ、私がいたときとはもう符丁《ふちょう》が変わっているのか）

パールにも理解不能である。彼女たちはフォルテッシモと一緒に上のスイートから移動させられてきたのである。

「しかし……あれって瀬川風見だよな？」

弘は部屋に入ってきた女を見て、目を丸くしている。

「あんな有名人が、裏でなんかやってるなんて信じられねえよなあ……」

と言いながらも弘は妙に感動しているようだ。呑気《のんき》なものだ、とパールは内心で舌打ちした。

せっかくフォルテッシモが側にいないと言うのに、逃げる道がない。入り口は連中が居座っている部屋にしかないのだ。窓はあるが、地上二十階である。飛び降りて生き延びられるだけの能力はパールにはない。他の部屋の窓に飛び込むか、壁を破ろうかとも思うが、そうやって正体をバラしてしまえば、フォルテッシモと、今来たばかりの奴から逃げ切ることはできないだろう。

（……まだだ。まだチャンスは来ていない……）

今はまだ、待っているしかないのだ。

フォルテッシモはどうやら監視役の女をいたぶっているようだ。女の顔色は今や蒼白《そうはく》になっている。奴だけなら倒せるだろう。だが肝心のフォルテッシモにはまるで隙がないのだった。

連中は、なおも何事かを話している。

「……どうして私が知らなくてはならないのですか？」

スワロウバードはそれでも質問する。黙っていたら、それだけで何をされるかわからない雰囲気が目の前の男にはあった。

「それはだな、ミズ・スワロウバード。知らないフリをする方が、何も知ろうとしないよりも賢いやり方だからだよ」

フォルテッシモは笑いを消した。

「統和機構に於いてはなおさらだ。あんたがここで何かを知ったとして、黙っていれば誰にもわからんが、知らないでいるとそれに対応することもできないぞ。違うか？」

「…………」

監視役に言う科白ではなかった。だが――スワロウバードはうなずいていた。

「そうですね」

「話がわかるな」

フォルテッシモはまたニヤリとして、そして持っていた携帯の電子手帳を投げてよこした。

スワロウバードはそれを受け取って、画面を見る。

そこには奇妙なことが書かれていた。

『ffに告ぐ。INNAZZUMAは汝に今一度挑戦する』

という意味の文章と、そして訳のわからない記号と数字が並んでいた。

「……これは？　あなたに？」

エフエフというのがこの男のことだというのは音楽記号からの類推で見当がつく。記号は暗号で〝場所と時刻〟だろう。だがイナズマというのは何だろう？

「あちこちに送りつけられ、色々なところに書き込まれているらしい。当然のことながら統和機構の中枢《アクシズ》も見ているわけだな。しかしこれが本当にフォルテッシモ宛のものなのか、それとも無関係のものなのか決めかねている……そういうことだ」

「………………」

スワロウバードは画面を睨《にら》みつけながら、考える。

統和機構はこの男に直接訊けばすむはずのことを、わざわざ彼女を派遣して確かめようというのだろうか。それも彼女には事の子細《しさい》を知らせないで、報告の傾向から判断するというまわりくどいやり方で……

（やはり、私はこの男が裏切っていたときにまず殺されるために送り込まれたのか）

それは確かだ。つまりこの男はそれほど特別に慎重な扱いをされるほど強いということか。

「……なぜですか？」

唐突に彼女は訊いた。

「ん？」

「なぜ、あなたは統和機構と戦おうとは思わないのです？」

無茶な話とは一概に言えない。それだけの力はあると思われる。

「…………」

フォルテッシモは上目《うわめ》遣《づか》いにスワロウバードを見つめている。

「あんたは……どこまで知っている？」

「え？」

「統和機構について、どこまで知っているんだ？　たとえば中枢《アクシズ》と直に接触したことがあるか？」

真剣な顔で訊いてきた。

「まさか——何も知りませんよ」

スワロウバードの方が曖昧《あいまい》な笑みを浮かべた。造られた存在の彼女にとってその辺のことは雲の上の話だ。

「俺もない。だからそいつが〝議会〟みたいに複数で構成されているのか、それとも〝影のボス〟って感じで誰か個人が仕切っているのか、まるでわからん。あんたはそれを知りたいと思うか？」

「……興味がないと言えば嘘になりますが」

「どうせわかりっこない、か？」

「そういうことですね」

「俺はちと違う。俺はその辺のことを……知るのが鬱陶《うっとう》しい」

フォルテッシモは苦い顔になった。

「考えただけでも嫌になるんだ。もしかすると、統和機構の中心というのはどうでもいいような空っぽの存在なんじゃないかと思うと、たまらなく不愉快になる……それでは全然、歯ごたえというものがないからだ」

「歯ごたえ？」

「統和機構というのは、俺がこれまで出会ってきた中では一番でっかいものだ。だから、とりあえずくっついている。他の者では俺には相手にも何もならないからな。とりあえず力を使う場所と機会を提供してもくれるしな……だが」

フォルテッシモはまたスワロウバードを睨みつけた。

「だがその肝心の部分が、実は俺よりもまるっきり弱っちい、たとえば管理プログラムみたいなものに過ぎないのだとしたら……俺と対等の者はいったいどこにいるんだ？　そんなものはこの世のどこにもいないことになってしまう——それがどういうことか、あんたに想像がつくか、ミズ？」

「——」

その眼の鋭さに、スワロウバードは返事ができない。といって眼を逸《そ》らすこともできないのだった。

「あんたは、俺の〝相手〟になってくれるか？　それだけの力があるか？　もしあるというのなら、俺は喜んで統和機構を裏切って、あんたの敵になってやるぞ」

淡々と、しかし底の方で凍りついているような声で彼は話している。スワロウバードはもはや顔色を読むどころの騒ぎではない。読む必要も何もない。こいつは何も隠してなどいないのだ。

「あんたが統和機構に逆らうというのなら、それもいい。なんだったら、俺があんたの代わりに統和機構を敵に回して戦ってもいいぞ……ただし、それはあんたに、俺の力に匹敵するような〝理由〟があればの話だが――どうだ？」

「………………」

どうだ、も何もない。無茶苦茶なことを言われている。しかしどう返答すればよいと言うのか。この男の、孤独の闇の深さは誰にも埋められない。まともに答えては、おそらく彼女の生命はない。何とかごまかさなくては――。

「……あの、挑戦状」

スワロウバードは無理矢理に言葉をつむぎ出す。

「フォルテッシモ。あなたは、あれを受けるつもりなのですか？　そして監視役の私にそれを見逃せ、と？」

「………………」

「そうであるならば、私はあなたと行き違いになってしまったと報告しますが。そして見つけるのはその〝期日〟が過ぎてからでもいいですよ」

「………………」

フォルテッシモは彼女から視線を外さない。だが、その眼からは鋭さが少しだけ薄れて、他のことに注意が向いていくようだった。

「……どうかな。それだけの価値がアレにあるだろうか、俺は決めかねている」

「あなたでも悩む——少なくとも、それだけのものがあれにはあるということですね」

背景などまったくわからないし、わかりたくもなかったがスワロウバードはとにかく自分から矛先《ほこさき》を逸らすためにそんなことを言う。

「……かも知れん」

フォルテッシモは囁《ささや》くように言う。そしてそこで「ふふん」と鼻で軽く笑った。

「〝そういうことにすれば、自分はこの化物《ばけもの》と戦《や》りあわずにすむ〟——そう思っているんだろう？」

「……私がどうであれ、問題はあなたの心の中のことだと思いますが」

スワロウバードは一歩も引かない。ここで引いたら——この男に失望させたら、それだけで終わりだとわかっていた。

「…………」

フォルテッシモはしばらく無言だった。

「あ……話が終わったみたいだ」

弘が呟いている間にも、何事かぶつぶつ言っていた二人の対話はケリがついたようだ。瀬川風見は倒れている男を担《かつ》いで、部屋から出ていく。男の腕がぴくぴくと痙攣《けいれん》しているところから見てどうやら殺されてはいなかったらしい。

そして一人になったフォルテッシモがこっちの方を向いた。

「もう、出てきてもいいぞ」

そう言われたので、弘とパールはベッドルームから顔を出した。

「いったい何を相談していたんだい？」

弘が無遠慮に訊くと、フォルテッシモは肩をすくめた。

「時間がない」

いきなり意味不明のことを言った。

「へ？」

「こっちばかりが〝正統〟で〝挑戦を受ける〟というのもつまらんからな。多少の理由も向こうに与えないとフェアじゃないだろう」

一人で喋っている。

「？　？　……なんのことだい」

しかし答えずに、フォルテッシモは、ちょい、と人差し指を動かしながらパールの方に向けた。

するといきなりパールの全身から力がが、、、くんと抜けて、床に崩れ落ちた。

（…………！）

パールは穂波顕子の姿のまま、ぴくりとも動けなくなってしまった。外から見るとまるで死んでしまったみたいだが、しかし彼女の意識ははっきりとしている。何かをされたのだ。

「な……」

弘は呆然としている。

「ね、姉ちゃん……？」

「脳幹神経の一部に空間の〝隙間〟をつくった……だから身体をまったく動かせないが、生命に別状はない。空間をくっつければ元に戻る」

フォルテッシモが冷ややかな声で告げる。

「ど、どういうことだよ⁈」

「〝人質〟ということだ。高代亨に対しての、な」

さらりと言ってのける。

「奴はとらわれの乙女《おとめ》を救うために戦う勇者というわけだ。屈辱を晴らすために挑んでくるだけの奴など、俺としても相手にしたくないんでな。それでは、これで奴を倒したら、まるで俺がこの前はやり損なったみたいだからな。それなら〝悪役〟になった方がこっちもすっきりするというものだ」

何を言っているのかまるでわからない。とにかく弘は彼の姉を摑んで揺さぶった。

脈はある。呼吸もしている。だがまるで動かない。全身がゴム細工の人形になってしまっているかのようにぐにゃぐにゃなのだ。

「ち、畜生！　姉ちゃんを元に戻せよ！」

フォルテッシモに摑みかかっていく。

だがフォルテッシモは、彼が殴ろうが蹴ろうがびくともしない。まるで岩の塊《かたまり》を叩いているように、その服から何から何までががっちがちなのだ。なんだこりゃ？　と弘は訳のわからない現象に絶句する。

「おまえ、そんなに〝姉貴《そいつ》〟が心配か？」

フォルテッシモはニヤニヤ笑っている。

「だったらそいつを背負って、一緒に来るがいい。最初に言ったろう？　おまえのことは助けてやるとな。危害は加えないよ。ただし——あとで後悔するなよ」

そう言って、動かない少女の方に「なあ？」と顎《あご》をしゃくってみせる。

（…………）

パールはそんなフォルテッシモの眼に、しかし恐怖を感じてはいない。それどころか内心で、

（——来た！　これこそ、ずっと待っていた機会だ……！）

と思っていた。ここで彼女を殺さなかった以上、フォルテッシモは彼女を生かして何かに利

用することが確実になった。今は動けない状態にさせられているが、必ずこれを解除するときが来る。そしてそのときこそ、生き延びて逃げ延びるための唯一無二のチャンスなのだ——。

（そうだ……私はあきらめない、絶対にだ……！）

そしてそんなパールをかき抱いている弘は、

「い、一緒にって……どこに行く気なんだよ……？」

と震える声でフォルテッシモに訊ねる。

「ん？　そうだな……」

彼は電子手帳を覗き込む。

「暗号なんでな——正確な場所は行ってみないとわからないが、だいたいの見当で言うと——おやおや、こいつは意外だな」

ほっ、と息をもらす。

「街のまったただなかだ。高層ビル街のど真ん中だぞ、こいつは」

＊

その日は見事な晴れではあったが、まるで台風並みに風の強い日だった。

植木は大きくしなり、通りには土埃《つちぼこり》が舞っているために人通りも少ない。どこかに落ちていたビラがくるくると回りながら飛んでいく。

やむなく道を行く人も、身体をやや前屈《まえかが》みにしていたり、鞄《かばん》を飛ばされまいと押さえ込んでいたりする。

その中で、一人の男がまるで風などないように、悠然と歩いている。痩《や》せているが大きな男だ。彼の長い蓬髪《ほうはつ》の方は、これは乱れに乱れているが男は気にしないようだ。

彼はTシャツにジーパン、その上にベルトなどの装飾がひとつもない、シンプルなコートという格好だ。まるで似合わぬゴルフバッグを背負っていて、サングラスを掛けている。その眼鏡の下の右頬には、ひきつれた傷痕がはみ出している。

「…………」

高代亨である。

「風か——ちと、まずいかも知れないな」

小声で呟くと彼は顔を上げて、身の前にそびえ立つ、高さはさほどでもないが横に大きく広がっているビルディングを見上げている。華やかな装飾とデザインでまとめられたそこは、ショッピングモールと一体化し、劇場やレストランなどが贅沢《ぜいたく》にまとめられている都市のエンターテインメントスポットの目玉としてつくられた場所である。各種企業が合同で出資して建てられたものだが、そのときの中心になった企業体MCEそのものは今はない。現在はテナントなど入れていない損害保険会社にもっとも支配権があるという変な環境にある。

名前は〈スフィア〉。

〝球体〟という意味だ。その丸っこいところのある形状からの連想だろう。

「…………」

亨はバッグを背負って、その〝球体〟の中に入っていく。

入ると、まずショッピングモールなので大変に広い。屋根付きなので風もここまでは届かず、普通に人々が歩いている。平日の昼間とはいえそれなりの人数だ。中央には噴水があったりもする。

亨がその横を通り過ぎようとしたときである。

「おいおい、何の挨拶もなしかい？」

という声がすぐ下から聞こえてきた。

見おろすと、噴水の端に一人の少女が座っていて、なにやら指さしている。その方向を見ると、紙コップが倒れて、中に入っていたジュースがこぼれて噴水の水に混じっていた。

亨はゴルフバッグを見る。その端っこにジュースのものらしき染みが付いていた。

「倒しちまったのか。そいつはすまなかったな」

感触はなかったので妙だったが、証拠は歴然なので亨は彼女に頭を下げた。

「いや、別にそれはいいんだがね」

少女は、キルトのスカートに、黒いベレー帽を被っていてちょっとお嬢様っぽいのに、なんだか男のようなものの言い方をする。近頃の女の子では珍しくないのだろう。亨は女の子のことなどよく知らないのでそんな風に思った。この黒いベレー帽少女の足元には、荷物らしきスポルディングのスポーツバッグが置かれている。

「お兄さん、男が一人で何しにこんなところに来たのかな。ここはデートスポットだぜ」

黒帽子をかしげて、からかうように言われた。亨は肩をすくめて、

「言っても信じないような用件でね」

と正直に言った。すると黒帽子は「ふうん？」と眉をひそめて、

「生命でも賭ける気かい」

と言った。亨はうなずいた。

「よくわかったな。その通りだ。俺はこれから決闘に行くところなんだよ」

これまた正直に言う。しかしほとんど冗談にしか聞こえない科白ではある。

「穏やかじゃないね。ここには大勢の人がいるんだぜ」

黒帽子が冗談についてきた、という調子で訊いてきた。亨は真面目な顔で答える。

「だから警告はするさ。でもすぐに逃げた方がいいぞ、お嬢さん。みんなのことも心配はいらないと思う。警告が出てから逃げるだけのゆとりはあるはずだ」

「まるでこの〝スフィア〟が、数十分後に地獄に変わって、この世から消滅するみたいな言い方だな」

黒帽子も、妙に真面目な顔で反応してくる。

「実はそうなんだ」

「なんでそんなことをする？」

「みんなの迷惑もかえりみず、か？」

「いや、君の中の必然性というやつの方だよ、ぼくの疑問点は」

人を君と呼んだり、変に理性的な物言いだが、亨は別にそこに不自然さは感じなかった。雰囲気に馴染んでいた。まるでこの黒帽子は本当は女の子ではないみたいだった。

「そうだな……あんたは人が何のために生きているのか、考えたことがあるか？」

「人は皆、生きるだけの価値があることを探すために生きているのさ」

黒帽子は即答した。亨は「ふむ」と唸《うな》ったが、しかし頭を軽く振って、

「そうできればいいんだろうがな」

と言った。

「すると君はその価値をすでに見つけているのかい」

「すでになくしている、と言うべきだな、俺の場合は」

亨は苦笑混じりに言った。

「どこで聞いたのか忘れちまったが、たしかこんなことを誰かに言われたような気がする……〝人は自分の中の可能性と格闘するために生きている〟んだってな。意味はよくわからないが、

しかしなんとなく納得できるような気もする。今、俺の中にはひとつの可能性がある。そいつを使わないうちは死んでも死にきれない、そんなところかも知れないな」

「それを試すことが、生きることに直結しているのかい？　それはまたずいぶんと即物的な人生のように思えるがね」

「実際そうなんだろうよ」

亭は笑った。

変な会話である。道端で、女の子が男に声をかけてきて、それで展開する対話とはとても思えない。だが亭は不思議な安定感を覚えていた。

「俺には、もはや生きる価値を見つけるとか、そんなことは分不相応《ぶんふそうおう》な贅沢なんだろう。最も大切なものを踏みにじってしまったんだからな」

「踏みにじられた方は、君にそんなことをして欲しいとは思っていないかも知れないぜ」

「…………」

亭は口をつぐみ、うなだれた。だがすぐに、

「それはその通りだろう。俺もあいつのせいにはしない。これは俺だけの問題なんだろう。身勝手で、恥知らずのな」

「根本にあるのは悔しさかい？」

「いや」

「怒りかな」

「違うだろうな」

黒帽子はふんふんとうなずき、そして切り出すように、

「では――恐怖は？」

と訊いた。

「……かも知れないが、しかしそれを理由としては選びたくないな。それは二の次だ」

首を振りながら言うと、黒帽子は何故か肩をすくめて、

「――君は知っているかな？」

と話をいきなり変えた。

「何をだ？」

「ある種の強さとか、特別な才能とか、そういうものは一番最初からうまく行くものではない。以前に似たようなことをして、似たようなものを摑んでいながら、失敗している者が大抵はいるものだ」

言いながら、上目遣いに亨を見据えてくる。

「――――」

こいつは何が言いたいのだろう、と亨は思った。彼の能力〝イナズマ〟は敵の隙を見つけるものだ。弱点を的確に突くことができる才能といったところか。これが最初だから、それはう

まく行かないだろう、ということなのか？

亨はサングラスを外す。傷痕も生々しい顔と隻眼が露《あらわ》になるが、黒帽子はそれにはまるで反応を見せずに言葉を続けた。

「ぼくが知っているだけでも〝彼女〟がいた。彼女にはとても豊かな才能があった。人の心の弱点を見抜くことができた。しかし彼女はそれを使いこなせずに結局〝恐怖喰らい〟になってしまった」

黒帽子はため息混じりに言うと、あらためて亨の隻眼をまっすぐに見つめてきた。

「大勢の者が、似たようなものを持ちながらそれぞれに失敗している。だが彼らは決して無駄になったわけではないとぼくは信じる。彼らの努力は次の者に受け継がれていく。たとえ彼が以前の者のことなど知らなくとも、それが存在していたことは、彼に遠くとも確かな影響を与えているはずだ」

「——俺にも前がいる、というわけか？」

「君はここにこうしているが、これは決して君だけのものではない。君——君たちは知らずして、多くの者たちが果たしえなかった〝突破〟への意志を背負っているのさ」

「…………」

亨は片目で黒帽子を見つめる。

もはや偶然でこいつと出会った、とは彼も思わない。

だが——別に亨はなんとも思わなかった。

「俺が失敗しても、誰かがこれを受け継ぐというのか？」

「かもね」

「だったら——ここで降りることはますますできないわけだ。こんなものを他の誰かに肩代わりさせるのは悪いからな」

ニヤリと笑う。黒帽子はそれに対して、微笑んでいるような、あきれているような、左右非対称の奇妙な表情をみせた。

「なるほど、それが君の矜持《きょうじ》か。後ろ向きだか前向きだかさっぱりわからないな」

「前にも後ろに進めないんだから、ここで踏ん張るしかないだろう？」

「なるほどね——」

黒帽子はかすかに息を吸った。

「少しでもバランスが崩れていれば、世界の敵になっていたところだったな」

その言葉の意味になど思いもよらずに、亨は腕時計に眼を向ける。

「——おっと。そろそろ時間だ。えーと、なんだな、あんたは俺を止める気なのか？」

「いいや。ぼくにはその理由も必要もないようだ。好きにしてくれ」

両手を広げて告げられた。亨は苦笑した。

サングラスを掛けて、きびすを返す。

「それじゃあな、誰だかわからない、誰かさん。しかし——なんだな」

と立ち去りかけて、亨は振り向く。サングラスを下にずらして覗くように見ながら、

「あんたに好きにしろと言われると、ヘンな気持ちがするな。まるで百年来の仇敵《かたき》に、逆に励ましてもらったみたいな奇妙な感覚だ」

と言った。この言葉に、黒帽子は答えずに片方の眉を上げてとぼけたように、

「ま、健闘を祈るよ」

と言っただけだった。

「ありがとよ」

亨もとぼけたように言うと、再び隻眼を隠しバッグを背負い直して、建物の中に入っていった。

黒帽子はそれを見送っていたが、彼の姿が入り口の向こうに消えるとショッピングモールの高い天井を見上げる。

丸い湾曲が入っているそれは、まるで卵の殻を中から見たようにも見える。

「……地獄の幕開けか。あと、しばらくすればあっちも来るだろう」

呟くと、黒帽子はそのベレー帽を頭から取って、スポルディングのバッグを持って立ち上がった。

外では、あれほど強かった風が嘘のように静まってしまっていた。これもまた僥倖《ぎょうこう》であり、被害が拡大せずにすむような天の配慮かも知れなかったが、そのことを知る者はまだほとんどいなかった。

*

――こうしてフォルテッシモとイナズマの、第二の戦いが始まる。

10

『果てに待つものは、殻の外のみが知ると言えども――』

最初、そのニュースは何を言っているのかさっぱりわからなかった。

〈——え、えーと、その、またです！　あの事件がもう一度起きました！〉

原稿を読んでいるはずのアナウンサーが思いっきりどもっている。

「なんなのよ一体……？」

洞窟の中に隠れている穂波顕子は、ただでさえ電波が入りにくいのでよく聞き取れないのに、さらに放送内容までもが不明瞭なのでいらだっていた。

だがよく聞いてみると、どうやら県庁のすぐ近くの駅前にある〝スフィア〟というファッションビルで事件が起きているということらしい。ビルの事件と言えば、この前の二月に起きたあの事件がすぐに連想されるが、実際によく似た状況になっているようだ。

要するに、各種防火扉が自動で落ちてしまい、いったいどこに仕掛けられていたのかわからない催涙《さいるい》ガスがあちこちから噴出したのだ。ただし、今回は普通のビルであり、非常口などが開いたままなので中にいた者たちは咳《せ》き込み、ふらふらしながらも脱出しているという。すでに駆けつけた警察が踏み込む態勢になっているが、入り口は狭いものしかないし、前回のこともある。すでに外部からの電源も切っているため、中の機能が麻痺《まひ》するのは時間の問題という訳で現在は包囲して待機中とのことだ。

そして今回も、犯行声明らしきものはまだ出ておらず目的は不明だという――。

『――こいつだ』

彼女の胸元でエンブリオが告げる。

『高代亨だ。あいつがフォルテッシモとの対決のために〝始めた〟に違いないぞ！』

「ど、どうやってこんな大掛かりなことを？」

『統和機構がからんでいることだ。なんだって起こりうるさ』

「………………」

顕子は息を詰めた。

彼女は、エンブリオに教えられていたが、それでもまだ信じられなかったのだ。

高代亨がエンブリオの追跡者フォルテッシモと接触したのに生きていることから、この両者が再戦する可能性があり、かつそれが周囲を巻き込む大事件となって報道されるだろうという予測――

フォルテッシモがどういう奴で、組織《システム》の中でどういう位置にいるのかということをエンブリオは死んだサイドワインダーから教えてもらっていたのだという。戦いに異常なまでに執着しているのだと。だから自分の手から逃れえた高代亨には当然、ひっかかるものが多々あるはずだと。そして亨も、どうやら巻き込んだ者がいるらしいことから復讐《ふくしゅう》か、それに類する動機で戦いを望んでいるのではないか。そして、どこにいるかわからぬフォルテッシモを呼び寄せるには何か大掛かりなことをしなくてはならないだろう——そういう話だった。

厳密にはこの予測は的外れであり、大掛かりな事件そのものはフォルテッシモを呼び寄せる役目ではなく、高代亨には別の目的があるということは彼女たちにはわかるはずもなかったが、自分らの状況からすれば関係のない話で、実質的には大当たりと言ってもよかった。

「亨さん——」

『しかも、やっこさんはまだマトモなようだ。無関係な者は逃がしているようだからな。戦いに集中できさえすればいい、というわけだ』

「そのフォルテッシモって——すぐに来るのかしら？」

『そりゃあ、な』

「じ、じゃあ私たちもすぐに行かなきゃ……！」

穂波顕子はエンブリオの入れ物である家庭用ゲーム機の携帯端末を握りしめて、洞窟から走って飛び出した。

その先で何が待っているものがなんなのか、彼女はまだ知らない。それが奇妙な〝再会〟であることを。

＊

――充満していたガスはあっという間に引いていく。

もともと大して効力と持続性のないガスなのだ。ここ〝スフィア〟はあちこちでこの手の仕掛けを作っていた男にとってはただのテストで、それも『仕掛けを作ってもばれることはあるかないか』という程度の確認作業に過ぎなかったので、作りとしても本番のそれに比べれば非常に荒い。そしてその荒っぽさにふさわしく、もう一つの大仕掛けが用意されている。むしろそっちの方が本来の目的には近い。だが男はより確実性のある方法を選択することにしたので、ここは結局放棄《ほうき》されたのだ。

その霧のようなガスが晴れていく中を二つの人影が進んでいく。いや、よく見ればそのうちの大きい方は、小柄な影がいま一人を背負っているものだとわかる。

彼ら三人はガスが充満していたはずのここを平気で通り抜けてきたのだ。

「――どうしてガスが俺たちのところに来ないんだろう？」

と、姉を背負っている穂波弘は目の前のフォルテッシモについ訊ねてしまう。実は姉ではなくパールだが、彼には姉としての認識しかない。

「ガスが届く前に、空間を切っているからな」

フォルテッシモはさらりと答える。

「――わかんねえよ」

弘はぼやいてしまう。しかしこいつが本性をむき出しにして、姉を行動不能にしてしまったというのに、弘はどうしてかこいつに裏切られて悔しい、みたいな感情を持ちにくい。強すぎるから逆らう気力が湧《わ》かないのだろうか？　かも知れないが、なんとなく違うような気もする。

もっともそれを言うならば、最初の最初からそうなのだ。こんなに怪しい奴なのに、何故か弘はずっとこいつについていくことにさほどの抵抗感を感じなかった。どっちかというと怖がりの彼にしては、これは少し妙な話ではあった。

「…………」

動かぬ姉を背負って、彼はフォルテッシモの後をついていく。隠れ家のホテルからこのビルまでは車で来たので、地下の駐車場からここまでそうやって運んできたのだが、それほど疲れたり負担は感じていない。大して重くないのだ。姉の身体はなんだか妙に軽い。まるで彼よりも小さな子供のようだ。身長自体は姉の方があるはずで、体重も似たり寄ったりだったと思うのだが、女というのは見た目よりも軽いものなのかなあ、と彼は不思議がりながらも歩いていく。

「しかし……いつになったら姉ちゃんを元に戻してくれるんだよ？」

弘が訊ねると、フォルテッシモは含み笑いをして、

「高代亨次第だな」

と言った。

「その〝穂波顕子〟の姿を見て、あいつがどういう反応をするのか、俺が知りたいのはそこのところだ」

「……助けようとするに決まってるよ」

「だと面白いんだがな」

「決まってるさ！」

「ま、すぐにでもわかる。——ん？」

彼らが、目指す場所の少し前まで来たところでフォルテッシモの足が止まった。

そこは、地上七階の高さにある劇場ロビーに通じる入り口だった。今日は公演はなかったらしく、立入禁止の札が掛けられて、重厚《じゆうこう》な扉で閉ざされている。

「——こ、こりゃあ……」

弘が思わず声を上げた。

「………」

フォルテッシモも口をつぐんでいる。

扉は、確かに閉ざされていた。鍵もかかってはいるのかも知れない。だがそれは無意味なも

のになっていた。

扉のすぐ横の、防音材が挟まっているために十センチ近くはあろうかという壁に、丸い穴があいていた。しかも、それはぶち抜かれたとかそういうのではなく――綺麗《きれい》に切り抜かれていたのだ。さながら書類をパンチで打ち抜いたかのように。

「…………」

フォルテッシモは無言でその切断面を観察していた。防音のために綿状の素材もサンドされているが、それすらもまったく押されてずれたりした跡が無く、まるで最初からそういう穴があいているように造られていたみたいだった。

「こ、こいつを、つまり……」

弘が呟きかけたところで、フォルテッシモがその少年の肩をぐいいと摑んだ。

「――おい、おまえたちはとりあえず、下がっていろ」

「え？」

「後で呼ぶ――ひとまず隠れていろ」

フォルテッシモは静かに言った。

「ど、どうして？」

「気が変わった――少しばかり確かめてからでも遅くはなさそうだ」

その唇の端はやや吊り上がっている――笑っていた。

弘はそのぞっとするような表情に、つい姉を背負ったまま言われるように後退し、物陰の自動販売機とベンチが並んでいるスペースに隠れた。

フォルテッシモはひとり劇場の扉の前に立つ。

そしてポケットに無造作に手を入れると、まるでそれが合図でもあったかのようなタイミングで大扉がばんとひとりでに開いた。

そして歩き出す。その前には劇場内部に通じる扉がもう一つあるが、そこに向かってただ歩いていくと、鼻先でまたばんと向こう側に開く。

劇場内部は客席が並び、そして静まり返っている。いつもならば、華やかな照明と音響、そして客の拍手と歓声に彩られているそこは、今はただ、空っぽの空間を無言のうちにさらけだしている。

そして——いつもとは逆の現象が起こる。

普段ならば、それは客席からのみ聞こえるはずだ。だが、今それは舞台の方から響いてくる。

拍手だ。

たった一人の手になるそれが、舞台の上からここに入場してきたフォルテッシモを迎え入れる。

「——ようこそフォルテッシモ」

そいつは静かに言う。今度は侍装束《しょうぞく》は身につけていない。だが代わりに、腰のベルトには一本の太刀《たち》が鞘《さや》に収められて、差し込んである。

フォルテッシモはゆっくりと歩いて、そいつの数メートル前まで来て、立ち停まり、睨みつける。

「高代亨――念のために聞いておいてやる。おまえ、何のためにここに来た？」

「――」

彼は答えない。

「閉鎖空間を作ったり、ガス撒《ま》き散らしたり、なにやらからくりを用意したようだが――本気で、どうにかできると思っているのか？　それともただのやけくそか？」

「――」

彼はしばらく無言だった。だが、やがて口を開いた。

「こっちも――ひとつだけ訊かなくてはならないことがある」

「あ？」

「あんたの能力がつけた傷――塞ぐ方法はあるのか？　あの傷を治すにはどうすればいいんだ？」

するとフォルテッシモの表情が訝《いぶか》しげなものに変わった。

「――おい、まさか……そういうことなのか？」

「…………」

「おまえ……あの生死の境をさまよっているはずの友人の生命を救うために、わざわざこんなお膳立《ぜんだ》てまでして俺を呼びつけたってことなのか？　殺される覚悟で、か？」

「答えてくれ」

詰め寄ることなく、むしろ穏やかな口調で言う。

そして反対に、フォルテッシモの顔の方はだんだん不快さが露になっていく。

「——心根《こころね》は誉《ほ》めてやるが、しかし残念ながらそんなものはねーよ……！」

「——ほんとうにないのか」

「くどい！　生命とは、俺から視れば空間の罅《ひび》という網に引っかかっている綿埃《わたぼこり》のようなものだ。あいつはその生命そのものを斬られたに等しい。それを塞ぐことなど誰にもできない。誰かが新しい生命をやっこさんの身体に継ぎ足して、傷を埋めてやれば別だろうがな……！」

「方法はないのか——」

彼はかすかに首を下に向け、息を吐いた。

その潰《つぶ》れている右眼の傷痕から血が一筋、つうっ、と流れ落ちる。

「ならば道は、やはりひとつしかないか」

「〝道〟だと？」

フォルテッシモの声には怒りが混じっている。期待を裏切られた怒りだ。

「おまえに……ここで俺にぶち殺される以外にどんな〝道〟があると言うんだ、高代亨！」

その怒声に、だが彼は静かに返した。

「さっきから――間違っているぞ」

「なに？」

「その名前はもう意味がない」

「名前？　なんのことだ」

「救うことができないとはっきりしたところで、なおさら意味が無くなった」

「だから、何を言っているんだ!?」

「名付けたのはおまえだ。おまえが言ったんだ――おまえの相手をするしかないのだから、もう俺にはその名前しか残っていない」

　ここで、やっとフォルテッシモにもその言葉の意味が飲み込めた。

「……なるほど」

　そしてポケットから両手を出す。

「とりあえず、覚悟はあるということか。よかろう、その覚悟とやらを見せてもらおうか、ええ〝イナズマ〟よ……！」

　そして一歩前に踏み出すと、それまで見られなかったことが起きた。

　太刀を腰に差している彼が、後ろに下がったのだ。

　フォルテッシモとの距離は、五メートルほど――その距離を、縮めようとはしない。

　フォルテッシモはまた一歩近づく。

やはり下がる。

「……！」

フォルテッシモの目つきが急に鋭くなる。

「どうして後退する？」

「その理由は、おまえが一番よく知っているはずだ」

彼は静かに言う。それは確かに、あの直情一直線だった高代亨とは思えぬ口振りだった。

「フォルテッシモ、まさか最初の戦いで俺が何も見ていなかったとは思わないだろう？」

そう、そして考えていた——あの留置場でずっと、そのことばかりを考え続けてきたのだ。

あのときの戦いの様子を何千回も頭の中で反芻《はんすう》し続けてきたのだ。分析し、推測し、そして想像し続けてきたのである。

「………」

「俺がうかつには近づかないのは、おまえの〝有効射程距離〟がこの間合いだからだ。これより離れると、おまえは正確な攻撃ができないんじゃないのか？」

淡々と言われても、フォルテッシモの表情は動かない。無表情だ。

「………」

「そしておまえの能力のもう一つの特徴は、いったん発動させたら自分でも停めることができないということ……だから自分自身をその圧倒的な破壊に巻き込まないために、攻撃それ自体は細かく慎重にやらなくてはならないということだ。だから……一見、無防備の状態でどんどん相手に近づいていくのは、度胸があるからでも能力に絶対の自信があるからでもない――そうしないとおまえは攻め込むことができないんだ」

「…………」

隻眼の男の言葉に、フォルテッシモは無表情のままだ。

「――だからなんだと言うんだ?」

このあっさりとした反応に、しかし相手もかすかに首を振って穏やかに返す。

「無論、この程度のこと、見抜いたのは俺が最初というわけでもないだろう。それに、それでおまえの絶対的な防御が崩れるわけでもないしな。たとえ千回、対等の立場で尋常の勝負をしたら千回とも俺が負けるだろう。だが――」

ここで彼は刀に手を掛ける。

「特別な環境下で、特殊な状況での勝負であれば――おまえが勝つのは九百九十八回だ」

「――二回は勝てる、とでも言うのか? そして……今、ここがそうだとでも言うつもりか?」

「…………」

「おまえ――本気で俺に……このフォルテッシモに勝とうと思っているのか?」

「俺が勝つんじゃない――おまえが負けるんだ」

言い放った。

「…………」

フォルテッシモはこの不敵な宣言に、しかしこれまでのようにニヤリとしなかった。笑わない。能面のような顔のままだ。

「……おまえにわかるのか？」

押し殺したような声を絞り出す。

「所詮《しょせん》、何度も何度も負けたことがある負け犬のくせに、一度も負けたことのない俺のことが貴様ごときにわかるとでもいうのか……？」

また一歩前に出る。

しかし相手は、今度は下がらなかった。

代わりに横にずれた。

立ち合いのスタンスが微妙に変わる。

そして睨みつけてくる相手に、イナズマと呼ばれる男は静かに言った。

「俺にはおまえのことはわからない。そしておまえだって俺のことはわかるまい。だから――それに関しては俺たちは対等だ」

「ならば、遠慮も容赦《ようしゃ》もいらんな！」

フォルテッシモが床を蹴って突撃してきた。

物質がはじけとぶ破壊音が辺りに轟《とどろ》いた。

＊

「……！」

びくっ、と穂波顕子は顔を上げた。

目の前の〝スフィア〟からなにか——絶叫のような音が聞こえてきたように思ったからだ。

『なんだ、どうした？』

エンブリオが訊いてきた。

「……う、ううん。なんでもない。たぶん気のせいだわ」

彼女は頭を振る。そしてあらためて、目の前の光景を見る。

そこには警官たちがいる。

この事件で、ビルを包囲する任務のために駆り出されてきた警官隊だ。ここはビルの入り口の七つあるうちのひとつで、そこから出てくる者、入ろうとする者を阻止するために固めていたのだ。

だが彼らはすぐ前に穂波顕子が立っているのに制止しようとはしない。と言うよりも、できないのだった。

「——で、でもこれって……どういうこと？」

そう、彼らは、どういう訳か、全員が気絶していて、ひっくり返ってのびていたのである。

そのすぐ側に、なぜか女性用と思しき黒いベレー帽がひとつ落ちていたが、彼女たちは気がつかない。

『訳は知らんが、チャンスであることは間違いないんじゃないのか』

エンブリオが静かに言う。

「そ、そうね」

顕子はおずおずと、シャッターが閉じてしまっている入り口の、脇の方に小さく設置されている非常口の扉を押し開けた。

内部にはかすかに、ガスの異臭が残っていたが既に効力はないようで、別に不快感は顕子には感じられなかった。

唾をごくりと飲み込むと、顕子はゆっくりと〝スフィア〟の中を高代亭を捜すために進み始めた。

だがそのとき、彼女の眼がひとつのものを足元に見つけた。

ゴキブリだった。

ガスを吸ったのか、腹を向けてぴくぴくと痙攣《けいれん》している。人間にはもう無害でも、昆虫にとっては殺虫剤をくらったようなものなのだろう、あきらかに死にかけていた。

(――あれ?)

そして、いつものようにその虫から〝死〟がこぼれていくのが見える。見えるのだが……なんだか、それが今までと比べてピントがぼけている。いやぼけていく。どんどん薄れていくのだ。

そして、とうとう見えなくなってしまったのだが、それが虫が完全に死んだためなのかどうか、彼女にはいまひとつ自信がもてなかった。

「これって……？」

『……能力が弱まっていて、消えかかっている、のか？』

エンブリオも呟いた。

『し、しかしそれなら俺との会話もできなくなると思うんだがな』

そういう〝声〟それ自体は極めて明瞭に聞こえる。

「……わからない。わからないけど」

顕子は自分に言い聞かせるように言う。

「でも、もう前と同じ間違いはしたくない。今、私がどうなっているのか、どうなっていくのかわからないけど、でも——私は亨さんに会うと決めたんだから、捜し出す——それしかない」

そして彼女はまた歩き出す。

『…………』

エンブリオは、そんな彼女に何も言わない。

「……どうしたのよ?」

逆に顕子の方から訊いてきた。

「いつもみたいに『おやおや勇敢《ゆうかん》なことで』とか言ってからかったりしないの?」

笑いながら言われて、エンブリオは人間であればため息にあたるような声を出した。

『……いや、なんか……あんた立派になったよ』

「なによ、気持ち悪いわね?」

『いや本当に。今、どこから来たのかわからないが、そういう気持ちが急に湧いてきた。確かにあんたは、昔と比べて大きくなったんだな』

「昔って、あんたと私はずっと一緒じゃない。そういう科白は何年も別々だった人たちの間で使う言葉でしょう?」

『……ま、それはそうだな』

「でも、ありがと。あんたに誉められると、なんだか勇気が湧いてきた。どんなに難しいことでも、今ならできそうな気がするわ。ふふっ」

『へへへ』

少女と卵、何も知らない二つの存在は、閉じこめられた空間の中で密《ひそ》やかに、ささやかに笑い合った。

そしてまた、ずずん、と何かが破壊される振動が伝わってきた。

彼女たちはその震源地と思われる方向に向かって走り出す。

*

血飛沫《しぶき》が飛び散る。

「——っ!」

腰の太刀を抜かずに押さえている高代亨は、すでに飛び散る無数の破片を受けて擦過傷《さつかしよう》だらけになっている。だがそれでも彼の動きは鈍ることなく、迫るフォルテッシモから一定の距離をとり続けている。

「どうしたイナズマ! その腰の刀は飾りか!」

フォルテッシモが挑発する。

劇場は、既にその座席のほとんどがばらばらに粉砕されていて、まず攻撃を受けた舞台に至っては跡形もない。

「だいたい——あくまでも俺に近寄らないつもりらしいが、それでどうやって攻撃するというんだ?」

「…………」

亨は太刀の柄に乗せている手を、しかし動かそうとはしない。

そして隻眼の視線も、一瞬としてフォルテッシモから逸らさず、その表情にも焦《あせ》りや怯《おび》えというものは微塵《みじん》もない。

（こいつ——何かを待っているというわけか？）

フォルテッシモも、いったん連続攻撃を停める。

（あくまでも剣を抜かないということは、抜きはらう速度を利用し、剣の軌道を相手に読ませない居合いか？　だがあの剣の長さではしょせん俺の射程距離を越えて攻撃することなどできまい——それ以前に何かが接近しただけでも俺にはそれを破壊できるのだから、剣撃だろうが銃弾の連続射撃だろうが何だろうが、無意味……それを知っていて、こいつは何を狙っているのだ？）

訳がわからないが、しかしはっきりしていることがひとつある。

ヤツが何かできるとして、それは一瞬だけのこと——勝負は刹那《せつな》で決する。

「…………」

動かなくなったフォルテッシモを前に、亨の動きも停まる。

そうして、時だけがゆっくりとカタツムリのような速度で動いていく。

「…………」

そして、ひゅん、という奇妙な音がしたかと思うと、亨の右肩がいきなり裂けて、血が吹き出した。

フォルテッシモが、その間合いぎりぎりで空間を切断し、故に生じた真空波が亨を切り裂いたのだ。

だが亨は動かない。

ひゅん、ひゅん、と音が連続し、その度に傷が増えていくが、まったくひるまないで動かない。

亨には見えているのだ。

この真空波攻撃ならば、その〝線〟がはっきりと見切れるのだ。致命傷にも大したダメージにもなっていない。ただの軽いジャブだ。受け続けたらまずいのではないか、と彼に思わせるためだけの攻撃だ。これで勝負を決めようとはしていない。

そして、フォルテッシモも亨の静かなる眼光から狙いを読まれていることを悟らざるを得ない。

(――しかし、それでもこれを続けていけばいずれにせよ出血多量で動けなくなるときが来るぞ。それとも俺に単調な動きをさせて隙をつくらせるために、わざと避けないのか？)

よかろう――受けて立ってやる、とフォルテッシモはあくまでこの牽制《けんせい》をやめず、続行する。

フォルテッシモ自身、半ば誤解していることであったが、実際のところ彼の最強たるゆえんは能力にとどまらないのだった。油断ということを本能的な、体質と言ってもよいレベルで、できないのがフォルテッシモの任務完遂という事実を支えているのだ。これは訓練や経験で培《つちか》われたものではない。生まれついてのもの——おそらくはこの能力すらその性質の付随物。そういう風に彼はできているのだ。だがそれは必ずしも彼の望んだものではない。

だから、この敵〝イナズマ〟の強さも彼はもう無意識では知っている。谷口正樹に一撃を喰らったのも、そのときの相手がこのイナズマだったからだ。他の者を相手にしていた時であれば、正樹の接近に気がついていたはずだ。それほど集中してしまっていたのは、おそらく——

「…………」

だが、彼はまだそのことを認めたくない。

何故かわからないが、そのことを認めるとこの後でものすごく辛い気持ちになるのではないか——はっきりと認識しているわけではないが、そんな感じがしてならないのだった。

もしや自分は、その強さはもしかしたら唯一のものではなく、孤独ではないのではないか、などと……

「——ちっ」

フォルテッシモは攻撃しながらも、かすかに舌打ちする。

対して亨は、その能力は生まれついてのものではない。

だから油断もしてしまうし、感情にまかせて取り返しのつかない失敗もしてしまう。だがそれ故に、今、ここに立っている——もしも本能が最強を彼に命じているのならば、とっくに逃げ出しているだろう。自然における強さとは如何に生き延びるかということに他ならないからだ。

だが彼はそうではない。

だから逃げない。

だから、まだ戦っているのだ。

動かないことで、戦っている——。

「…………」

羽原健太郎が用意し、それに基づいて彼が考えた〝策〟によれば待つのはあと少しでいい。

このまま攻撃させ続けていても、ダメージが深刻になる前になんとかなるはずだった。

しかし——ここで亨にはまったく予想外の出来事が起きてしまった。

「…………?!」

彼の眼が、そのときはじめてフォルテッシモから外れた。

敵の向こう側の、劇場入り口の方に向いた。

そこには一人の少年が立っていた。

穂波弘だった。

隠れさせられていた場所からこっそりと近寄ってきていたのである。

そして彼から見ると、フォルテッシモが高代亨を一方的になぶっているようにしか見えなかった。

「た、高代さん！」

彼はつい、大声を上げてしまった。

その声に、しかしフォルテッシモはそっちの方を向かない。そんなことは彼にはささいなことだったからだ。

だが亨にはそうではなかった。

今ここに無関係の者が残っていては駄目なのだ。

彼は飛び出した。

弘の方に、戦いの間合いもへったくれもなく走った。

(なにっ！)

フォルテッシモには、それはいきなり逃げ出したとしか取れなかった。

その瞬間、かっ、と来た。

ここまで来て——とそう思った。

「——ざけんじゃねえっ！」

怒鳴って、見境のない一撃を亨が向かった方向にぶっ放した。

劇場の床や天井が、ずたずたに引き裂かれて衝撃波を放ちながら爆散した。

「——わっ⁈」

弘は、亨に抱きかかえられながらも、爆圧に吹っ飛ばされた。

二人はかたまって、ごろごろと転倒する。

そして亨はすぐに跳ね起きた。

「――動けるな？」

前置きも何もなく、いきなり弘にそう言う。弘はこくこくとうなずく。自分には確かに怪我はない。しかし……亨の方は、何やら顔の半分が血でべっとりと濡れている。頭に、飛んできた破片が直撃したのだ。

「た、高代さんは――」

「いいか、すぐに逃げろ！　ここはもうすぐ――」

「で、でも姉ちゃんが捕まってるんだよ！」

亨の言葉の途中で弘は叫ぶように言った。

「なんだと……？」

亨の顔が愕然《がくぜん》とした表情になる。

そのとき背後で、じゃり、と破片を踏む音が響いた。

二人が振り向くと、そこには動かない少女の首を掴んでぶら下げたフォルテッシモが立っていた。

「……それは〝こいつ〟のことか？」

冷ややかな声で言う。

「貴様……どういうつもりで？」

まったく予想外の事態に、亨は完全に虚を突かれていた。人質を取るなどということをフォルテッシモがやるとはとても信じられなかったのだ。

「ね、姉ちゃん！」

弘が悲鳴を上げる。

「おめでたい奴らだな……おまえら、本気でこいつが穂波顕子だと思っていたのか？」

ついに言った。

「え？」

「なんだと……？」

「ほれ、正体を見せてみろよ、ええ〝パール〟よ……！」

そして、少女の身体がびくんびくんと痙攣を始める。

そして——ああ、なんということだろうか。その手足が、胴体がみるみる縮んでいくではないか。

亨と弘は絶句している。

とうとう少女は、弘よりも小さい、七か八歳ぐらいの大きさになってしまった。

そう——これが合成人間〝パール〟の正体なのだった。あらゆる人間に化けるために、基本形はコンパクトサイズに設定されている——強化骨格の間にかさ上げする機構を組み込むのは難しくないが、強化骨そのものを縮めるのは至難の業だからである。彼女や、その同類すべての〝原形《アーキタイプ》〟たるマンティコアはこれとはまったく異なる方法で変身を実現していたが、その方法は結局、マンティコアただ一体しか成功しなかったといわれている。だからこの彼女の身体はいわば、まがいものの未熟な代物といえた。

顔も、完全にあどけない子供のそれだ。髪型だけが、まだ穂波顕子のそれと同じだった。だがその色も、みるみる脱色されていきキラキラと光を反射する銀髪になる。その上にさまざまな色を乗せるための髪だった。

「…………」

弘は口をぽかーん、と開けている。目の前で起こっていることが理解できないのだ。ただなんとなく——なるほど、と思っていた。

あれなら、体重が軽いのも当然だなあ……と。

亨は、その表情はどんどん険しくなっていく。そしてとうとう呻《うめ》くように言った。

「…………」

「——やめろ……！」

言われて、フォルテッシモはぽい、とパールの身体を捨てた。

パールは口から吐瀉物《としゃぶつ》を吐き出しながら、カーペット敷きの劇場ロビー床に転がった。

「がふっ、がぶふっ……」

と唇の端から泡を吹いて、ひきつっている。

全身の神経を、あちこち〝切ったり付けたり〟されたので変身を持続することができなくなり、そして今は人事不省に陥ってしまっていた。

「……どういうことだ？」

亨は、パールではなくフォルテッシモを睨みながら言う。

「どうもこうもない。そいつは偽者だよ。本物の穂波顕子はエンブリオを持って未だに姿を隠したままだ。こいつはおまえを利用しようとして穂波顕子に化けたはいいが、途中で俺に見つかってしまって、俺がとぼけたら、はっ、ごまかしきれるとでも思っていたのか、そのまんまでいたというわけだ。あるいは俺の一瞬の隙をついて襲ってきたりして、歯ごたえのある時間が過ごせるかもとか思って見逃していてやったんだがな……それも飽きた」

フォルテッシモはつまらなさそうな口調で言った。

「貴様……！」

亨の眼に、それまで浮かぶことのなかった怒りが浮かび始める。つとめて冷静でいようとしていたのに、少女の姿をした者に無惨な仕打ちをする相手に、本来の激情が浮かびそうになっていた。

フォルテッシモもそんな亨を睨み返す。

だが――このとき、この場所で真に状況を支配していたのはこの二人ではなかった。

パールは、ほとんど身体が動かなくなってしまっていながら、はっきりと意識だけは明敏だった。

（……来た！）

（ついに……来た！　私はこのときを待っていたのだ！）

彼女の口からはごぼごぼと吐瀉物が溢れ続けている。

どう見てもそれは、彼女の身体の機能不良から内臓の未消化物が排出されているようにしか見えない。だがそれは実際はそんなものではなかった。

ずっと、彼女が体内で貯え続けてきていたそれは、彼女のモデルたるマンティコアにもあった能力――体内で特殊な薬物を合成できる、その能力によって生成されていた劇薬なのだった。

その効果は単純にして明確――侵食し、腐敗させ、破壊する……！

既にこの〝薬品〟はたっぷりとカーペットに染み込み、そして上からは見えないが、その下の床にどんどん拡散していっているのだ。

（……そうとも、たとえどんなに惨めな姿をさらそうと――どんな屈辱を受けようとも、それがなんだ）

パールは、お互いを見ているため彼女の方に注意を向けていない亨とフォルテッシモを後目《しりめ》に、よろよろとかすかに腕を上げる。

腐敗した床を崩れさせるのに、力はいらない。ある間隔でわずかに叩けばいいだけだった。

(生き延びれば、それがすなわち〝勝利〟に他ならぬ……!)

そしてパールがその動作をしようとしたそのとき、彼女は自分を見つめている穂波弘と眼が合った。

この〝弟〟に彼女は、にやり、と笑ってみせた。

「……あばよ」

囁いた掠《かす》れ声など当然誰の耳にも届かなかった。そして次の瞬間、亨たちを乗せていたその床はたちまち一面、崩壊した。

*

「——い、今のは……?!」

通路を歩いていた穂波顕子のところにまで響いてきたその音は、さっきまでのそれに数倍した。

そして音だけではなかった。

たちまち彼女の足元にまで、ひび割れが走ってきたからだ。そして床が傾いていく。

「わ、わわっ……!」

手近の柱にしがみついた。それが彼女の生命を救った。一秒前まで立っていたところに天井もまた崩れてきたからだ。

パールが破壊した床は、その下に建物の力学的な支点を持っていたのだ。それ故にそこが崩されたことで〝スフィア〟の各箇所が連鎖的に横に引っ張られ、そして崩れてしまっていく。建築物の構造材は上下方向の衝撃には強くとも横からの衝撃には弱い。何階分ものフロアが重層的に崩れ落ちていこうとしていた。

「ひ、ひいっ……!」

崩れていく箇所と崩れない箇所があるようだ。乱雑に並べたドミノ倒しで、あちこちが倒れないでそのままになっているところにそれは似ていた。

天井が抜けた穴から、何やら上からこぼれ落ちてきた。床材や鉄骨やらの切れ端に、ブティックでも途中にあったのか、手足の抜けたマネキンが何体か埃にまみれて積み重なる。上が全壊しているのなら落ちてくる量はこんなものではないだろう。やはり破壊はまだら状に起こったらしい。

そしてまだあちこちから連鎖的に崩れる音を耳にしながら、顕子は奇妙なことに気がついた。

「……あれ?」

落ちてきたマネキンの一体が、ポーズが不自然なのだ。

子供服用の小さいマネキンのようだが、まるで床に寝転がっているような姿勢なのだ。地面にちゃんと接していて、これではまるでそういう風に造られた彫刻か、あるいは……

「——きゃああっ！」

悲鳴を上げてしまった。

それは本物の子供だったのだ。

全身にはほこりを被って灰色になっている。だがその下の髪の毛の色は銀色をしているように見えた。ぴくりとも動かない。

「だ、大丈夫?!」

彼女はあわてて子供を助け起こした。

その瞬間、その子供の身体がびくんと跳ねた。

ごきっごきっ、と身体中から軋《きし》むような音を上げて、一瞬動かなくなったと思うと、熟睡中にいきなり目覚まし時計が全開で鳴り出したかのような態度で飛び起きた。

「——！」

そして、顕子を見開いた眼で見つめてきた。

「おまえ——」

「げ、元気みたいね……」

と顕子が言いかけたところで銀髪の少女——身体が回復したパールは満面に笑みを浮かべて

叫んだ。

「――穂波顕子！　おまえがこんなところにいるとはな！　ということは、つまり――」

そして、顕子には信じられないことが起こった。

パールの腕が倍近くの長さに伸びて、彼女の胸元からゲームの端末機をむしり取ったのだ。

「……ついに！」

パールは腕を伸ばしたのと同じ速度で縮めながら、顕子を突き飛ばして立ち上がる。

「ついに手に入れたぞ！　資格ある者に〝世界と戦う力〟を与えるという〈ジ・エンブリオ〉をこの手に！」

高らかに哄笑《こうしょう》した。

「ざまあみろ！　サイドワインダーにフォルテッシモめ！　やはり最後に勝つのはこの私だ！」

得意の絶頂で、身を反《そ》り返らせて大笑いしている。

「……え？」

顕子は状況が把握できず、唖然《あぜん》としている。

そんな彼女を無視して、パールは笑いながらエンブリオを見つめた。

「私に能力はあるか？　まあ、なければある奴を捜すまでだが――」

と言っているその途中で、パールに、そのとき変化が生じた。

意外そうな顔になり、顕子の方を見つめてきたのだ。

「……なに？」

その顔は、完全に虚を突かれて茫然《ぼうぜん》としている人間のそれだ。

「……なんだ、これは？　なんなんだそれは？」

訳のわからないことを呟いている。

そしてよく見ると、その視線は顕子自体を見ているのではなかった。その背後を見ている。

「……おまえは——そんな馬鹿なことが……おまえの〝未来〟なのか？　それは——」

よろよろと後ずさる。

「それは——〝さながら世界中のすべて敵となるような〟——だと……？」

意味不明のことを言いながら、どんどん顔が青ざめていく。なにかを見ているのか？　いや、エンブリオに触れたことで〝なにかが観えるようになって〟それでなにかを感知しているのか？

「じょ……冗談じゃない！　そんなことに巻き込まれてたまるか！」

悲鳴のような甲高い声を上げると、パールはせっかく手に入れたエンブリオを投げ捨ててしまった。そして壁に向かって走り出した。ぶつかる、と思った瞬間彼女の口から霧吹きのように薬品が噴出されて、脆《もろ》くなった壁にそのまま体当たりして突き破り、そして逃げ去った。

あっという間のことである。

「………………」

顕子は呆然としている。何がなんだか、まるで理解不能だ。

しかし、はっきりしていることがひとつあった。

今の銀髪の少女は、彼女を見ていなかった。その向こう側を見ていた。そっちに向かって喋っていた。ということは……

「………」

おそるおそる後ろを振り向いた彼女の前に、いつの間にやって来ていたものか——はたしてそいつは静かに立っていた。

「やあ——穂波顕子さん。会うのは二度目だな」

黒い帽子に白い顔、全身は黒いマントで覆われている。

しかし、彼女はこんな変な奴のことなど知らない。

「覚えていないか。まあ、そうだろうな」

黒帽子は「ふん」とかすかに鼻を鳴らすと、歩き出し、彼女の横をすり抜けて、そして落ちていたエンブリオを拾い上げた。

「これが〝たまご〟か」

あっさりと懐にしまってしまう。

顕子はそいつのことを知らない。そのはずだ。こんな奴、一度でも会っていれば絶対に忘れないだろうからだ。そのはずなのだが……。

「う、ううう……」

そのはずなのに、彼女の本能とでも言うべき何かが恐怖によって彼女の全身を金縛《かなしば》りにしていた。

そして唐突に思い出す。誰だったか忘れたが、学校の友達が噂話で言っていた。

〝そいつはその人が最も美しいときに、それ以上醜くなる前に殺してくれる、そういう存在なんだって。黒い帽子に黒いマントを付けた、そいつの名前は……〟

ああ——そうだ。

どうしてその話を真剣に聞かなかったのだろう？　なんだか上《うわ》の空《そら》で聞き流してしまったのだ。しかしそれでも、そのときに聞かされた不思議な名前の方は、確か——

「〝ブギーポップ〟……」

するとそいつが「ん？」と振り向く。だが彼女の顔色を見て、

「思い出したわけではないようだな、穂波さん。もっともその方が〝彼女〟としても望むところだろうけどね」

と、この〝ブギーポップ〟は言った。

「あ……あなたはなんなの？」

「ぼくが何なのかなどというのはどうでもいいことだ」

ブギーポップはあっさりと言った。

「当面の問題は、君のことだな。君に取り憑《つ》いたままになっていた、その能力のことだ」

「え……？」

顕子ははっと胸を突かれるような気がした。

「ところで君はここ数日、どこに行っていた？」

いきなり訊いてきた。

「え、い、いやそれは」

「君のことは、ぼくだけじゃなくて霧間凪も捜していたんだぜ。街中に行き届く彼女の目から逃れて隠れられるような場所を、君はどうして知っていた？」

「そ、それは」

「まさか君は、自分は霧間凪よりも抜け目のない性格ですとでも言うんじゃなかろうな」

「わ、私はその」

「君はもう、そういう安全な隠れ場所が必要だったようなことを過去にしていたんだよ。ただしその〝やっていたこと〟に関する記憶はなくなっているので、どうしてそこを知っているのか、誰に教えてもらったのか、自分でもわからなかったんじゃないのか」

ブギーポップは、さっ、と何かをはさんだ指先を立ててみせた。

それは虫だった。一匹のコガネ虫だ。だがそれはぐったりと動かず、死んでいるか、死にかけているようだった。

そこに、顕子はぼんやりとした〝死〟を見るが、それはさっきもそうだったように……いやそれよりさらにおぼろげにしか見えていない。

「あ……」

その表情を読んだのか、ブギーポップはうなずいて、

「やはり能力が切れかけているな。もともとわずかな量しか残っていなかったのだから当然だが」

「の、残っていなかった、って——」

顕子は何を言われているのか、訳がわからない。

「なんのことよ？　わ、私はこの力を使って、死にかけた人を助けたり——」

言いかけたところで、ブギーポップが「はっ！」と馬鹿にしきったように鼻を鳴らした。

「君はそんなことにあの能力を使っていたのか？」

「……な、なによ！」

ひどく意地悪をされているような気がしてきて、顕子は思わず声を上げてしまった。

「君は、自分にそんな〝生命をどうのこうのする〟だけの理由や資格があると思っていたのかい？」

ブギーポップの声はやはり冷ややかだ。

「そ、それは」

「そうだ、そんなものあるわけがない。君は所詮ただの女の子だ。そんな使いようによっては

世界をつくりかえてしまいかねない能力などあるわけがないんだ。それは君の能力などではなかったのだ。借り物だったのさ」

まるでどうしても引き算を理解できないで困っている子供に向かって〝どうしようもねえな、この馬鹿は〟と言っているような、それは悪意に満ちたものの言い方だった。

「…………」

顕子は言葉に詰まる。だがブギーポップは容赦しない。

「君がやっていたことは、他人が血の吐くような思いで獲得したり、使いこなそうと懸命に努力していたことを〝だって難しいんだもの〟と投げやりに扱っていた、そういうことに他ならない。君はその能力に気がついて、それを呪《のろ》ったりしたんじゃないか？　だがその程度の苦悩など、それをもともと持っていた者の葛藤《かっとう》に比べればささいなものだったろうよ」

「…………」

「その能力——それは生命を救う能力なんかじゃない。その逆だ。反対なんだよ。それは〝死を制御《せいぎょ》する〟そういう能力なんだ。本来の持ち主、ぼくの敵であった水乃星透子《みなほしすいこ》はその能力のことを〈奇妙な生活《ストレインジ・デイズ》〉と呼んでいた。君にはわかるまい。彼女はそれと物心ついたときからずっとつきあってきたんだぜ。君などせいぜいが数日といったところだろう。それで〝苦悩〟などというのはおこがましいとは思わないか？」

「…………」

顕子は、全然話が理解できないにも関わらず、ひどく動揺していく自分の心に戸惑いを隠せない。

「君はかつて彼女に利用されていた。いや、あるいは彼女としては利用していたという意識はなかったかも知れない。あの当時の〝巫女〟だったときの君にも利用されていたという気持ちはなかったろう。君たちはあのとき、一体となっていたのだから。あの〝終わりのない夢〟のために、君たちは皆、誰が上ということもなくお互いに利用しあっていたのだろう」

ブギーポップはため息をついた。

「ま、それもこれもみんな、今となっては誰も覚えていないわけだが。記憶はすべて彼女があの世に持っていってしまったのだからな」

「……わ、私は……あなたに会ったことが、あるのね……」

顕子は震える声で言った。

「私の、この能力はその、あなたの敵という人のもので、私もかつて、あなたの敵のひとりだったことがあったのね……」

言いながら、顕子はぼろぼろと涙がこぼれてくるのを自覚した。おかしな話だ。自分では何で泣いてるのかわからないのに、どうしてか涙が後から後から出てきて止まらない。

とてもとても大切なことだったような気がする。

だがそれは今ではもう彼女の中にはないのだ。それだけが確かな事実として感じられた。忘れたのなら思い出せばいいだろう。だが彼女の無意識はそれがもう〝ない〟のだということを理解していた。

「ま、幸いだったよ」

彼女が泣いていても、ブギーポップはまるで動じないで素《そ》っ気《け》ない口調で言う。

「その能力の欠片《かけら》がそのまま残っていたら、君は遅かれ早かれ君の中で成長し続けていたその可能性の大きさに押し潰されて死んでいただろう。未熟なうちにさっさと出てくれて良かったというところだ。とりあえず君から能力を引きずり出した〝たまご〟に感謝するんだな」

「……！」

顕子は我に返る。

そうだ。今はなくした過去よりももっと重大なことがあるではないか。

「あ、あなた——エンブリオをどうするつもりなの？」

こいつは、どうやらあの卵形を手に入れるために、わざわざこんなところにまで出向いてきたようだ。

「なるほど、エンブリオという名前なのか。さあて、どうするつもりだろうね？」

せせら笑うように言われる。

「危険な物として破壊してしまおうか？　それともこれを使って色々な奴から可能性を無理矢理引き出して、敵となるはずの者を芽のうちに摘《つ》み取ってしまおうか？」

あきらかに面白がっているような、悪意のある不謹慎《ふきんしん》な態度だった。だがそのことに顕子は怒る余裕はなかった。彼女はさっきの涙の跡を頬に残したまま叫ぶように言う。

「お願い——殺さないで！」

するとブギーポップはちょいと片眉を上げて、

「しかしぼくの仕事は殺すことなんだがね」

と冷ややかに言った。

「でも、でもエンブリオは悪くないわ！」

「過去にぼくが殺してきた者の中には別に悪くもなんともない者だっていた。ただ彼らは世界と相容れなかったと言うだけだ。エンブリオはどうだろうね」

「——そ、それは」

非常に危ないものを秘めている。それはこの間の〝カウントダウン〟で証明済みだ。だがそれでも……。

「そ、それを言ったらこの世に、完全に危なくないものなんかあるの？　どんな人だって、どんなものだって、一歩間違えば世界中を危なくさせる可能性があるんじゃないの？」

我ながら大袈裟《おおげさ》なことを言っている、と思う。でもそれは本音でもあった。そうだ、借り物だったかも知れないが、それでもこんな自分が、世界中の生命すべてを集めてひとつにするような能力を持っていたりしたのだから、どんな人にだってそういう危険性はあるはずだ。

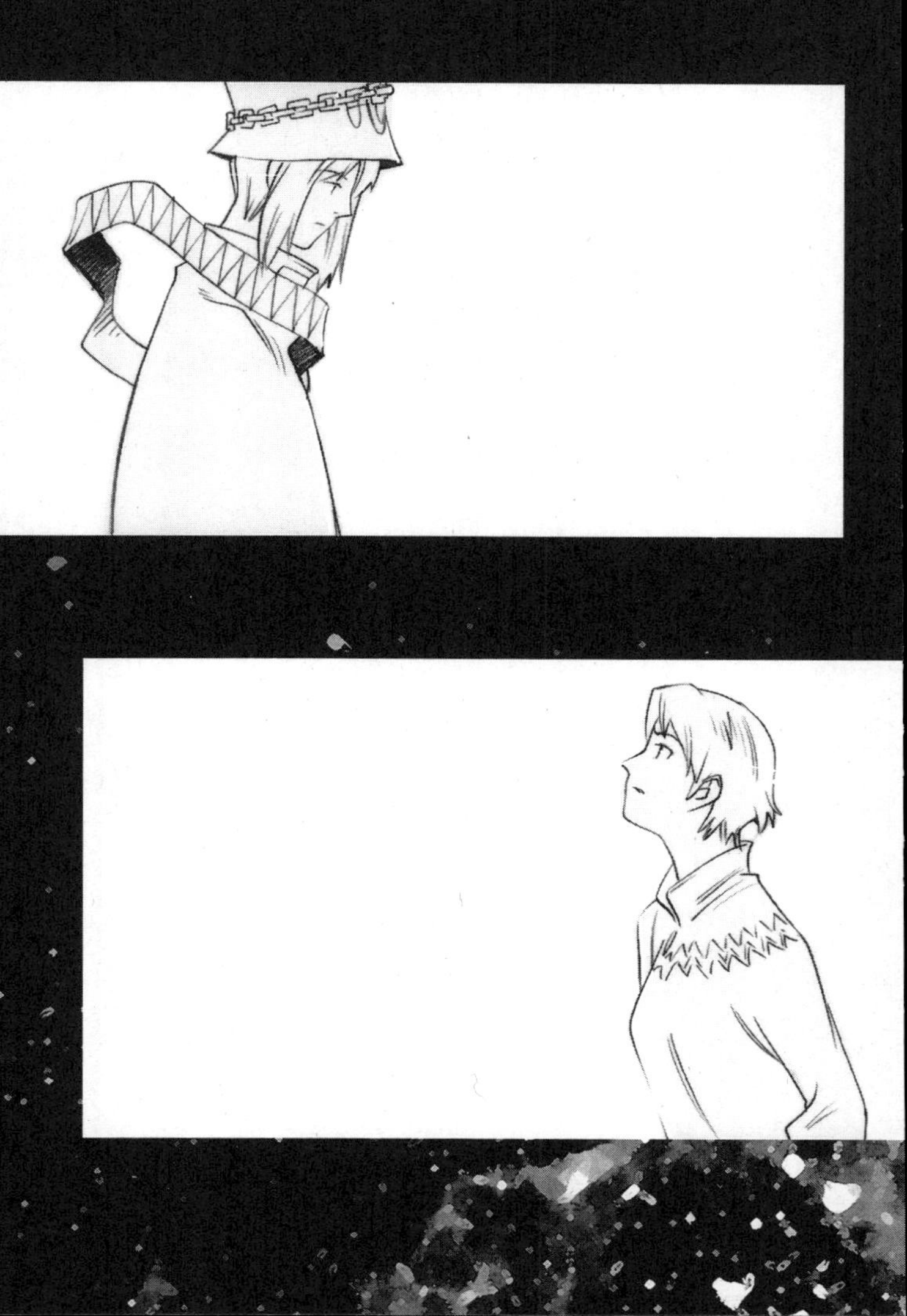

「それは自分のことを踏まえて言っているのかい？」

やはり見抜かれていて、意地悪く訊き返された。

でも顕子はひるまなかった。

「そうよ――だって私は〝所詮ただの女の子〟なんだから……！　それでもあんなことになったんだから……！　だったらそれは誰にでもありうることで、だからそれは、それはエンブリオのせいなんかじゃなくて……！」

必死で声を出しているつもりだったが、なんだかかすれて頼りない声になってきた。

どうしてこんなにエンブリオを自分はかばうのか、顕子は考えていない。

エンブリオ自身はことあるごとに〝オレを殺してくれ〟とすら言っているのに、どうしてこんなに懸命に救おうとしているのか、彼女は自分でもわかっていない。

「では誰のせいだと思う？」

ブギーポップの方は、とちりまくる彼女に対してあくまで平静だ。

「そ、それは……」

「誰のせいでもないと言うつもりかな」

「それは――それは私のせいだわ！」

顕子はほとんど叫んでいた。

＊

……………さん、……かしろさん、高代さん……！

耳元で繰り返されていたその声がぼんやりと聞こえてきたところで、目覚めた高代亨はがば、と跳ね起きた。

「――！」

周りはなにやら瓦礫《がれき》の山だ。さっきの〝床抜け〟でフロアをいくつか転落してしまったらしい。フォルテッシモとあの穂波顕子の偽者はいない。別の場所に落ちたようだ。

そして、亨は一緒に落ちた穂波弘の方を向く。

「高代さん！　よかった、無事で――」

亨に抱え込まれて落ちたために無傷な弘は泣きそうな顔をしている。

だが亨はそんな彼の様子は無視して怒鳴った。

「どのくらいだ?!」

「え？」

「俺はどのくらい気絶していたんだ?!」

「え、えーと、二十秒くらいだよ」

「まだ間に合うか……！」

亨は弘の腕を摑んで立ち上がった。

「弘、おまえは逃げろ！」

「え？　で、でも姉ちゃんが——って、あ」

その姉は、なんだかわからないが偽者だったのだということを思い出す。

亨は弘を引っぱって走り出した。

弘もひきずられるようにして走る。亨の足取りは迷いがなく、各種のシャッターが落ちてしまっていて迷いそうな中を一度たりとも停まらない。まるで行くべき道が既に線としてそこに引かれているかのようだった。

「わ、わわ……！」

弘はそのペースの速さに何度も転びそうになるのだが、その度に摑まれている腕をがっちりと固定されて振り回されるだけでスピードも落ちない。

経験はないが、まるで手綱《たづな》をつかんだ馬に引っぱられているみたいだと思った。

そして下に遙かにのびる長い停止したエスカレーター——つまり今はただの階段のところまで来ると、亨はやっと停まって弘の腕を放した。

「こっからはひとりで行け。階段を降りると、でかい入り口が真正面にあるから、その脇の非常口から外に出られる。いいな？」

「……え？」

弘はぜいぜいあえぎながら、顔を上げた。

「た、高代さんは？」

「俺にはまだやることがある」

そして腰に差していた太刀を直す。

まだ……やる気なのだ。

「――ほ、本気かよ？」

「すぐに逃げないと、この建物はすぐに大変なことになる。わかったらさっさと行け！」

「だ、だけどよ……！」

「おまえに万が一のことがあったら、俺は穂波さんに顔向けができないんだよ！　ぐずぐずするなっ！」

亨は一喝《いっかつ》した。

弘は思わずすくみ上がった。

そして眼を開けたとき、もう亨の姿はふたたび建物の奥に向かって走り込んで行くところだった。

「…………」

弘にはもう、それを見送ることしかできなかった。

そのとき、弘の心の奥底でなにかがぶるっと震えるような奇妙な感覚があった。

(な、なんだ?)

なんだかわからないが、まだ全然うまく行っていないというような、そんな気がしてならなかった。

そう、肝心のことがまだ、この場所に置き去りになっているという——。

だがそれはなんだ?

それに、そんなことよりも今は亨に言われたように〝大変なことが起きる〟この場所から逃げなくてはならないのでないか?

「ううう……?」

弘は決断を迫られた。

11

『その外の何たるか、殻の中より見える道理もなし――』

そこには何もなかった。

フロアの一画が、そこだけ削り取られたように空っぽだった。そしてまわりにあるテナントのデザイナーズブランドの店などが、崩れてきた瓦礫に埋もれたり、逃げ出していく途中の人々によって踏み荒らされたりしているのに対して、元から何もなかったそのスペースは例外的に何の変化もなかった。フロアを見渡せば、さっきのパールによる崩壊現象で穴がいくつもあいているが、その空間だけはそれすら免れている。

そこだけがこの騒動から切り離されているような、そんな場所にブギーポップはひとり立っていた。

「……しかし、結局君は死にたいのかな」

ひとりのくせに、ブギーポップはそんなことを言っている。

『……それは』

そしてひとりのくせに、その言葉に対して返事が返ってきた。

その手に握られているエンブリオの声だった。

「あんなことを言われて、それでもまだ死にたいと言うならば、君の意志というのも本物かも知れないがね」

ブギーポップは意地悪い口調で言う。

『………』

喋る際に何の外見的変化もないエンブリオが、そのときだけは沈黙する気配が外にまで伝ってきたかのようだった。

「――それは私のせいだわ！」

その穂波顕子の叫びに、しかしブギーポップはまるで動じずに、

「君のせいだというのなら、君になんとかできるのかな」

と言った。

「このエンブリオのもたらすであろう火種《ひだね》を解消して、何の問題も起きないようにできるというのかい」

「そ、それは……」

顕子は口ごもりそうになるが、だが下を向いたりはしない。

「それはできないわ。でも……だったらエンブリオを殺せば何の問題も起きなくなるってほん

とうに言えるのかしら？」

　するとブギーポップは「ふむ」とかるく唸って、

「確かにそれは言えないね」

　と簡単に納得した。

「エンブリオがあろうがなかろうが、問題というのはその都度起こるものでしょう？　たとえば――そう、あなたは過去にこのエンブリオと接触して、そういう風になったのかしら？」

　聞きようによっては非常に無礼な質問だった。だがそんなことにはブギーポップはまるで反応せずにさらりと言う。

「残念ながら違うようだね」

「あなたは自分がどうして存在しているのか、自分でもわかっているの？」

「……自動的な身なれば、なかなか答えづらい質問だね」

「いいえ、難しくもなんともないわ」

「ほう？」

「あなたや私がどうして存在しているのか……それはそのことが〝奇蹟〟だからよ」

「存在していること、それ自体がかい」

「そうよ、どんなものでもそれがこの世にあるというだけでそれは一つの奇蹟なんだわ。存在理由だとか生きるに値する価値なんてものはぜんぶ、後からのこじつけなのよ」

顕子は、まるで何かが乗り移っているかのようにすらすらと喋っている。

「だから?」

「だから――エンブリオについても、それは同様――エンブリオに生きている意味がないとか、生かしておいては世界のためにならないとか、そういうことはすべて、その〝存在していることの奇蹟〟よりも優先度としては下――そう〝よほどのこと〟がないかぎり」

その端正な口調は、これまでのおどおどしていた少女とは別人のようだ。だが、顕子に何が乗り移れるというのだろう?

水乃星透子のことは既に彼女の中にはない。エンブリオも既に彼女の胸元から離れている。特殊な能力ももう消えかけている。いま彼女に取り憑《つ》くような何物もそこにはないのだ。

「エンブリオには〝よほど〟はないと?」

「エンブリオが引き出すのは本人の中にある眠れる才能だけ。だから必ずしもエンブリオのせいなのかどうかわからない。あってもなくても一緒。そんなことなら、私には、これと逆のエンブリオが存在しているべき理由を知っている」

「何かな?」

「私がエンブリオには生きていて欲しいと思う。それが理由だわ」

その理由すら彼女には曖昧《あいまい》のはずだ。だが彼女はきっぱり断言していた。

「なるほど」

ブギーポップはうなずく。

「確かに〝君のせい〟というわけだね。よくわかったよ。つまりエンブリオをどうこうするには君を倒さなくてはならないということだが――」

ブギーポップが見つめてきたが、顕子はその視線をまっすぐに受けとめる。黒帽子は肩をすくめた。

「――そっちの方こそ、ぼくには理由がない。仕方ないから、この件は棚上げということにしよう」

「……どういう意味よ？」

「他の者に委《ゆだ》ねるとしよう。ただし半端な者では困るから、今のところこの世で最も安全な場所に保管してもらうとしよう」

ブギーポップは言うと、笑っているような、悪戯《いたずら》をしているような表情で彼女に向かってウインクをして見せた。

そして身をひるがえした。あっと思ったときにはもう遅く、その黒い影は一瞬にして角を曲がって彼方《かなた》に消えていた。


……そして今、空っぽの空間にブギーポップとエンブリオは立っている。

『オレは……ずっと誰かがオレを殺してくれる、そのときだけを待ち続けてきていた』

その声は、それまでのような冷笑的な響きは感じられない。

『いつからなのか、それはよくわからない。あるいは、オレの前身――この〝エンブリオ〟の元となった〝本物〟のときからそんなことを考えていたのかも知れねえ』

「するとそれは君自身の意志ではなく、やはり借り物ということだったのかい？」

『……さあな。本物の方とて、別にオレが考えていたような形で殺されたいと思っていたのかどうかわかりゃしねえしな。ただ……』

ここでエンブリオは言葉を途切らせた。

「ただ、なんだい？」

『鏡とか、その辺にあるか。あったらそっちを見てくれねえか』

鏡はないが、ガラス張りのショーウインドウがあった。そこにブギーポップが目を向けると、その視覚と同調しているエンブリオがため息と共に言った。

『ああ……やっぱりだな。オレはなんとなく、あんたのことを知っているような気がするよ』

「会うのははじめてだがね」

『それでも知っている。あんたみたいな〝死神〟がオレの前に現れることを、どうしてかオレはずっと知っていたんだ。それで、どうせそういう者が現れるだろうから、と、それでオレはさっさと死んでしまいたかったのかも知れない』

エンブリオの声はどこか微笑んでいるかのようだった。

『これまでオレと関わってきた人たちには、そういう意味で悪いことをしたと思う……オレの勝手な認識を押しつけていたわけだからな。特に顕子には、すまないことをしたと思う』

「なかなか殊勝だね」

ブギーポップの口調はあくまでもとぼけている。

「しかしぼくもその穂波顕子さんとの話し合いの結果、君を殺せないことになったわけで、その辺はどうするんだい」

『——しかたねえさ。卵は、卵らしく殻の中でおとなしくしているよ。あるいはいつか、誰かがオレを殻の外に連れ出すかも知れない。それがオレを殺すことになるかどうかは、その時になってみないとわからねえ……卵を見ただけでは、それが受精卵なのか無精卵なのかわからないよーにな』

「待つことが、それが卵としてのプライド、というわけか」

ブギーポップは感心しているのか、馬鹿にしているのか、はっきりしない態度でうなずいた。

『……しかし、おまえはなんなんだ？』

あらためてエンブリオが問う。

『どうしてオレの声が聞こえるんだ？　おまえもまた〝目覚めかけている〟のか？　あるいは〝あらゆる声が聞こえる〟力でも持っているというのか』

「さあね、なにしろ自動的なんでね。ぼくにもその辺は定かじゃないのさ」

本気なのかふざけているのか、その口調から推し量ることはできなかった。

『もしも目覚めかけているのなら、オレを殺せばその能力は確立するかも知れないぜ』

エンブリオが挑発的に言う。

「なるほど、ぼくにも〝理由〟ができるわけか。それで君はそうして欲しいわけかな?」

するとエンブリオは「ひひひ」と笑った。それはあの、皮肉っぽい口調で穂波顕子に話しかけていた、あの口調であった。あの調子に戻っていた。

『誰に殺されたくないって、今はおまえに殺されたくねーよ。それじゃあオレは、自分でもなんだかわかんねー予感に従うために生まれたことになっちまうからな。それだけはゴメンだよ』

「それはそれは、アマノジャクなことで」

『おめーに言われたくねーよ!』

そしてエンブリオはさらに笑った。

それに対してブギーポップは返答せずに、建物の、上のフロアに通じている階段の方を見つめながら呟いた。

「さて……そろそろ来る頃だな」

『しかし、やっこさん本当にのると思うのか?』

「彼が話にのるかどうか、それはぼくには関係がない。君の運命だからね」

『ひでえなあ。まーいいけどよ』

二人が訳のわからないことを言っていると、はたしてその方角から音が響いてきた。上から降りてきた足音だった。

その人影はブギーポップを視界の隅に入れたところで、びくっと身を引き締めるようにした。臨戦態勢に入った。

そのさほど大きくない身体を、やや汚れてしまっているが薄紫の綺麗な服で包んでいる。その少年のような顔にはやや疲れも見える。先刻の転落で、ひとり離れたところに落ちていたのだ。

「——なんだ貴様は……？　なんでこんな所にいる?!」

彼はブギーポップに怒鳴った。

「もちろん君を待っていたのさ、フォルテッシモ君」

ブギーポップは静かに言った。

＊

頴子ははっ、として上を見上げた。

しかし遅かった。そのときには、すでに崩れかけていた天井が彼女めがけて落ちてくるところだった。

とっさのことなので、身体が反応してくれない。彼女はその場に立ちすくんだ。

あっけない死が彼女の目の前に迫ってきた。

だがそのときである。

「……あ」

「――危ねえっ！」

叫び声が聞こえたかと思うと、彼女の身体は横から飛び出してきたなにかにぶっとばされて、弾き飛ばされていた。

床の上に落ちる、そのすぐ横に天井瓦礫が地響きと共に落ちてきた。

「………！」

彼女は息を呑んだ。

その瓦礫の下敷きになっているのは、彼女がここまで捜しにきたその本人――高代亨だったからだ。

「た、高代さん！」

彼女はあわてて亨を助け出そうとした。瓦礫の下から必死で引っぱり出す。

ぎくりとした。

亨の片目がなくなっていることにも驚いたが、それだけではなかった。

亨の身体の周りには、もはや彼女にはほとんど見えないが、それでもまとわりつく〝死〟がにじんでいたのだ。

顕子は、その亨の〝生命〟をなんとかつなぎとめようと、残された最後の力で生命が集中しているように見える左の手首に手を伸ばした。

だがその瞬間、いきなり亨が逆にその手をつかんだ。片手で、彼女の両手首を一緒に握ってしまったのだ。まるで万力《まんりき》のように力強い。

気絶していなかった。意識を保っていたのだ。

「と、亨さん……」

「──やめろ、穂波さん」

亨は静かに言った。

「俺には見える──あんたが何をしようとしているのかはわからないが、あんたがそれをすることで〝死線〟を越えかけていることだけは、俺にはわかる」

言われて、顕子は言葉に詰まる。そうかも知れない。ただでさえ能力は本来自分のものではないのだ。しかも今はそれすら消えかけている。ここで無理に使うことは確実に彼女の生命を削ることになるのだろう。

だが、だがそれでも……

「そ、それでもあなたの生命がこうしてこぼれ落ちそうなのを目の前にしたら、そんなこと言ってられないわ!」

その彼女の言葉に、亨の目が見開かれた。

「〝生命〟……？　穂波さん、あんたにはそれが見えるのか？　俺からこぼれそうなその〝生命〟が？」

「そうよ！　だから手遅れにならないうちに――」

「…………」

だが亨は手を離さない。

何かを考えている。そしてそうしているうちにもどんどん顕子から能力は失われていき、見えるものがなくなっていく。

「ああ！　早くしないと！　お願い亨さん！」

顕子は摑まれた腕を振りほどこうとした。だががっちりと握っている亨はきっぱりと言った。

「駄目だ。これは――これは天が俺に与えてくれた最後のチャンスだ」

意味不明のことを呟く。

そして、その間にも顕子には、その喪失は停まらず、霞のようにぼやけていた〝生命〟のヴィジョンが――とうとう消えた。

穂波顕子、彼女はこの最悪とも言えるタイミングで普通の女の子に戻ったのだ。

「あ、ああ……」

がくり、と彼女の身体から力が抜けると、亨は手を離した。

「〝死線〟が消えた。危険は去ったようだ。よかったな」

言われて、彼女は喚《わめ》いた。

「よくないわよ！　あなたは、今のあなたは——いつ死んでもおかしくないのよ！」

「それはお互い様だ。なんであんたがこんな所にいるのか——いちいち訊きゃしないが、しかしもう出口まで行っていると時間がない」

亨は立ち上がると、顕子の腕を取って早足で進む。全身血だらけのくせに、びっくりするぐらいの元気さだ。

だが、確かにあのとき〝死〟がつきまとっているのが見えたのだ。彼は肉体的か精神的かはわからないが、とにかく生命危機の状態にあるのだ。

「と、亨さん。お願い、話を聞いて——！」

「駄目だ。時間がない」

亨は素っ気ない。

そして彼は〈非常用〉と書かれた壁面にまで顕子を引っぱってくると、そこに備え付けられていた緊急避難用シュートの安全弁を引っこ抜いた。

たちまち、建物の外に向かって一気に滑り落りられる〈筒〉が伸びていった。

「さて、ここからなら逃げられる。外には警官がいるだろうから、保護を求めろ」

「と、亨さんはどうするの？」

「俺は——」

亨の顔が曇った。

「俺は、本当ならやらなくてはならないことがあるんだが……それでもひとつだけ、この場所に残してきたことがある。それを終わらせねーと、どこにも行けないんだ」

亨はぼそぼそと、なぜか申し訳ないような口調で言った。

「俺とあいつ——おそらく、今を逃したら、俺たちは二人ともどこにも〝道〟がない」

「…………」

顕子にはちんぷんかんぷんだが、だが亨の真剣な様子だけは感じた。だがそれでも、なんとかしなくてはならない。

「で、でも……！」

「ああ、そうだ穂波さん——」

言いかけたところで亨が口を挟んだ。

「そういえば、あんたが〝エンブリオ〟とかいうのを持っているという話だったが——今でも手元にあるのか？　それを殺せば、確か能力は完成するという話を、誰かに聞いたような気がする」

「そ、それは——もう、ありません……」

あれはブギーポップが持っていってしまったのだ。

「もう、ないんです……！」

顕子はうなだれた。しかし亨はそれを聞いても何ということもなく、

「なるほどな……それではやはり、この中途半端な状態もまた、俺の〝強さ〟のひとつというわけだ」

と呟いて、そしてきびすを返して歩き出す。

「いいな。すぐに逃げろよ。降りる勇気が出ないんなら、少し待ってろ。嫌でも降りざるを得なくなる」

「と、亨さん！」

顕子は追おうとした。そこに、背を向けたまま彼は言った。

「あんたに優しくしてもらっていた、あの高代亨はもういない。恥知らずに堕《お》ちることでサムライになる資格も失った」

「え……」

「ここにいるのは、ただの〝イナズマ〟だ」

それは、ぞっとするほど冷たい声だった。

「だからもう、あんたにお礼も言わない。だからあんたも悪いなんて思わないことだ。お互い様だよ、俺たちは――」

言い捨てると、絶句して凍りついている顕子を無視して、亨は腰の太刀に手をやりながら建

物の奥の方へと向かっていく。

——かくしてイナズマとフォルテッシモの三度目の戦いが始まり、決着のときが訪れることとなる。

＊

（なんなのだ、こいつは……？）

フォルテッシモは、突如現れた謎の黒帽子に混乱していた。

敵なのかどうかはっきりしない。だが味方と言うにはどうにも……得体が知れなさすぎた。

彼我《ひが》の距離は約十二メートル——彼の間合いからは少し離れている。普段なら無条件でどんどん接近していくところなのだが、何故かそうすることが躊躇《ためら》われて、フォルテッシモはその場に立ち停まっていた。そしてそんな彼に向かって、

「しかし——君はいつもそうなのかい？」

と黒帽子はせせら笑うような調子で話しかけてきた。

フォルテッシモは眉を寄せた。

「なんのことだ？」

「初めて会う人に、そんな風に睨みつけるみたいな目つきを向けるのかい？　そんなことではいい友達に恵まれないぜ」

まるで屈託というものがないようなものの言い方だった。

「――よけいなお世話だ！　いったい貴様は何なんだ?!　そんな奇天烈《きてれつ》な扮装しやがって！」

彼が怒鳴ると、黒帽子は心外そうに、

「そんなに変かな？　わりと気に入っているんだがね。そう言えば竹田君《しりあい》にも変だと言われたっけ」

とわざとらしい〝がっかり〟ぶりでため息混じりに言った。

「そんなことはどうでもいいだろう！」

フォルテッシモはほとんど切れそうになっていた。

「貴様は何者だ？　その目的は何なんだ?!」

どうしたって統和機構のメンバーとは思えなかった。と言って反抗組織の者というのも全然似合わない。正体不明としか言いようがない。

「ぼくの名前なんぞは大して意味はないよ。しかし目的の方は、とりあえず君にも関係のあることではないかな」

「……なんだと？　なんのことだ？」

「これに、君としては心当たりがあるんじゃないのかな」

そう言って黒帽子が掲げて見せたのは、卵形のゲーム機用携帯端末だった。

「――――?!」

フォルテッシモの顔が強張った。

「そ、それはまさか……」

「君らは〝エンブリオ〟と呼んでいるらしいな」

黒帽子はさらりと言った。

「穂波顕子さんのことを、君たちがこれ以上かまわないと約束するなら、まあ渡してもいいんだが」

「貴様、あの娘の関係者か……?」

「昔の、ね。彼女は二年前にあんなことがあったのに、それでも無事に生き延びることができたんだ。こんなくだらない事件で命を落とすことはない。もっとも昔のままの彼女であれば、自分も水乃星透子の跡を追ってイマジネーターと化す道を選ぶかも知れないがね、それではぼくの方が面倒くさい」

まるっきり意味不明のことを勝手に喋っている。

「貴様、そのエンブリオが何なのかわかって言っているのか?」

黒帽子ののどかともいえる調子に、フォルテッシモは苛立《いらだ》ちながら問い返す。

「もちろんだよ。ついでに言うなら、おそらくは君たちが知らないことも知っている。たとえば、だ――」

黒帽子はエンブリオの他に、もう一つマントの下から何やら取り出してみせた。

それは小さな、銀細工のペンダントだった。エジプト十字架というのか、T字型をしたアクセサリーである。

「君たちも知っているだろうが、生命というのは〝波長〟なのだという考え方がある。生き物を細かく分析していくと、ただの物質と生きているものを隔てるのは難しくなっていく。だがその中でも生命には、他にはないある種の電気信号の波紋というか、継続するある種のパターンというものがあると、そういうことはわかっている。このエンブリオは、自分では生命だと思っていないかも知れないが、物質と波長と、この二つがあることでとりあえず生命の資格はあるとぼくは思う」

「――だからなんなんだ！」

いきなりの講義に、フォルテッシモはさらに苛立つ。何を言おうとしているのかさっぱりわからないからだ。

黒帽子はそんな彼にかまわずに言葉を続ける。

「ただし、エンブリオの極端なところは、その波長それ自体と物質の方に切実なつながりがないということだ。だから共鳴現象を利用すれば――こんなことも……」

そう言いながら、黒帽子はそのエジプト十字架を、エンブリオのゲーム端末にこんこんこん、と奇妙なリズムで細かく、複雑なテンポで叩いた。

そのとき生じた現象を、フォルテッシモの優れた視覚は確かに捉えた。

「――――！」

黒帽子がスイッチに触ってもいないのに、そのゲーム端末の液晶ディスプレイに表示されていた〈EMBRYO〉という文字がすうっと消えて、熊だか猫のような二頭身キャラクターの画像に切り替わったからだ。

そして一瞬、エジプト十字架の方がなんだか〝ぶるるるっ〟と身震いするような動き方をした。

「……というわけだ。おわかりかな」

「な、なにをしたんだ？　まさか――」

エンブリオを、その本体たるエネルギー波長を〝そっちからこっち〟へと移したというのか……？

まさか。そんなことは統和機構の、専用の特別な設備でもない限りできっこないことのはずだ。それを、あんなに簡単に――。

その認識に至ったとき、フォルテッシモの身体がぶるっと震えた。

「貴様――ただの変人ではないな」

その声には、隠そうとしても隠しきれない笑いが籠もっていた。

「おや、表情が変わったね——なるほど、それが君の〝趣味〟というわけか。自分と対等に近い強い相手と戦いたがり、そしてそれは何物にも優先するようだね」

黒帽子も似たような調子で返す。

「だが君には悪いが、今この場所でぼくらが戦うことはできないな」

「なんだと？　どういう意味だ」

フォルテッシモの眉が寄った。こいつが怯んで、ごまかしでこんなことを言っているのではないことはわかる。そういう性格とはとても思えなかった。

すると黒帽子は肩をすくめた。

「その意味は、君はもう知っているだろう？」

そしてあっさりと、エンブリオが入っているエジプト十字架のペンダントをぽいとフォルテッシモの方に放り投げてきた。

フォルテッシモはそれを受けとめた。すると、だしぬけにそいつが口を利いた。

『よお相棒、よろしくな』

フォルテッシモはぎくりとした。

そして、その瞬間である。

〝スフィア〟全体を凄まじい衝撃が走って、建物中に爆音が轟いた。

「……な?!」

と顔を上げたフォルテッシモの目にまず飛び込んできたのは、真っ赤な閃光《せんこう》だった。

炎——

それが建物の至る所から噴出して、床を走り、天井を舐《な》め、壁を埋め尽くしていくのだ。

「こ、これは……?!」

「どう考えても、どこかから失火したわけではないだろうね」

黒帽子の声が、炎の唸る轟音《ごうおん》の向こう側から聞こえてきた。

その距離は縮んでいないにも関わらず、炎があいだに挟まったために、ひどく遠い存在と化したように思えた。

「こ、これは貴様の仕業か?」

「そんなわけないだろう。ぼくは君たちがここに来ることも事前には知らなかったんだぜ。こんな大仕掛け、前もってやっておかなければできるものでもないだろう」

言われて、フォルテッシモははっとなる。

これはまさか、あの男が……?

他に考えられない。さっき穂波弘を逃がそうと走ったりしたのは、この炎が生じることを知っていたからに違いない。しかしいったい何のためだ?

「……あっ！」

いや――それは明らかだった。奴は言っていた。

〝特殊な環境下であれば――〟

これは、そのための仕掛けなのだ。

「す、すると……」

まだ終わっていない――そういうことなのか。

奴が待っていたのは〝これ〟だったというのか……？

「そういうことだな。君にはまだやらなくてはならないことがあるわけだ。ぼくとの勝負はそれまでお預けにしたまえ」

声が遠ざかる。

「ま、待て！」

フォルテッシモは焦って怒鳴った。すると炎の間隙《かんげき》をぬって、なにか白い物が彼の方にまた投げつけられてきた。

反射的に掴むと、それはさっきまでエンブリオの入っていたゲーム端末だった。

〝もしもぼくと戦いたいのならば、そのエジプト十字架を大切に持っていることだ。それがぼくと君をつなぐ〈保証書〉というわけだ。統和機構にはそっちのゲームをくれてやれ。なあにエネルギーの残滓《ざんし》は確かに残っているから、簡単にだませるよ〟

あくまでもとぼけた言い方であった。そのふざけたような調子にフォルテッシモはかっとなった。

「か、勝手なことを言うな！　貴様が本当に勝負する保証がどこにあるというのだ！」

すると返事が返ってきた。

〝こう見えても、ぼくのささやかな誇りはこれまで一度も嘘をついたことがないと言うことでね。そのプライドにかけて誓うとも。一週間後の今日、夜明け前の時刻、君も知っていると思うが、郊外にある作りかけの遊園地——そこで待っているよ。もっとも問題がひとつあるがね〟

「問題？　なんだそれは？」

〝君さ〟

「？——俺が何だというんだ?!」

〝君は、はたして生きてここから出られるかな……？〟

それが最後だった。渦を巻く炎の向こう側にその気配は完全に消えて、見失った。

＊

外から見ても、その炎は完全に〝スフィア〟全体を覆いつくしていた。しかもその燃え方は通常の火災よりも遥かに派手だった。炎があちこちから吹き上がるようにして昇っており、その高さは実に〝スフィア〟そのものの倍近くもあった。

それはなにかに似ていた。そう、炎がうまく燃えあがるように組み上げられたキャンプファイアーの薪《たきぎ》に喩《たと》えてもあながち間違いとは言えないだろう。実際にこれを設計させた者の目的は正にそれ――適度な空間と、風通しによって炎が周囲に拡大することなくうまい具合に立ち上がるように、それと悟らせずに造らせていたからだ。

「――考えてみるがいい。近代都市のど真ん中に馬鹿でかい篝《かがり》火《び》が上がるわけだ。さながら古代の民が天に捧げるために行っていた神霊儀式の如く、な。なかなかに詩的な光景とは言えないか？ つまらん世の中だが、そうやって狼煙《のろし》を上げれば、なにか特別なことでも起きそうじゃないか？」

おそらくそいつの心の中はこのようなものであっただろう。

だがそいつも造っただけで本気ではなかったろうし、そしてその意図からするとこれは少しずれていた。外はまだ昼であり――炎の美が最も目立たない環境で無駄に燃えさかっていたからだ。とはいえ煙だけは派手に上がっていて、なにかの開始を告げる狼煙の役割は確かに果たしているようだった。

包囲していた警察も、いきなりのこの発火にさすがに後退せざるを得なくなる。付近の住民にパニックが起きないような、しかし避難もさせるような処置も必要だった。もちろんすぐに消防隊も呼ばれていたが、来るまでにあと数分は要する。

そして、それで充分なのだった。その前にこのジ・エンブリオをめぐる一連の事態には決着がつく。

もはやすべてが終わるまでに、それほどの時間は必要とされていないのだった。

＊

「――うう、くそったれが！」

なんだかまるで思うように行かない。すべてがフォルテッシモの考えることとずれている。こんなことはこれまでにないことだった。

「まったく、なんだってこんなことに……」

毒づきながら、彼は燃えさかる炎の中を進む。

空間を断裂させることができる彼の能力ゆえに、炎もその熱も彼の元にまでは届かないで、まわりを避けるようにして取り囲むのみだ。危険なのは酸欠だが、この建物、どうやら燃えるときの風通しの良さを計算されていたようで、呼吸にはほとんど困らない。それでも炎が周りで燃えているのはあまり気持ちのいいものではない。

（……しかし）

しかし任務そのものは達成した。

回収を命じられたエンブリオは今、彼の胸元にペンダントチェーンでぶら下がっている。時折それから『ひひひ』と妙な笑い声みたいなものが聞こえるような気もするが、そんなことは考えてもしょうがない。以前の入れ物だったゲーム端末も一緒にぶら下がっているが、この二つをどのように処理したらよいものやら、フォルテッシモは苛立っていて考えがまとまらなかった。

(とにかく、今は外に出るのが先だ。考えるのはその後でいい。だいたいこんなに炎に囲まれてしまっていては、なにかを企んでいたとしても既に無意味になってしまっているはずだ……だが)

「だが無意味だったら……何だというのだ？」

フォルテッシモはそのことをつとめて考えないようにしている自分に気がついた。考えすぎると、もはや引き返せないところに認識が行ってしまいそうな、そんな感覚がどこかでわだかまっているのだった。

「……馬鹿馬鹿しい！」

吐き捨てた。するとまた『ひひひ、素直じゃねーなあ』という声が聞こえるような気がした。

「…………」

これが自分の内なる声なのか、それともエンブリオが喋っているのかフォルテッシモには曖《あい》昧《まい》で区別がつかない。だから無視した。

そして、階段をさらに下に降りた。それは屋上から外に至る道筋の、ちょうど真ん中に当たる場所だった。

「――――」

階段のスペースからフロアーに目を向けて、少し息を呑んだ。

そこは縦に長い通路だった。直線で、ずっと向こうにつながっている。二つある非常階段と直結しているようだ。横に長いこの建物そのものとほぼ同じ長さがあるということだろう。

そこはギャラリーだった。

両側をそれぞれ大型店舗に挟まれて、その隙間に穴埋め的に用意されている無料の企画コーナーなのだ。〈現代日本の印象派たち〉とかなんとか毒にも薬にもならないようなそこらの画廊で二束三文《にそくさんもん》でたたき売られている絵が並べられて飾られている。それらの半分は燃えているが、燃える物がない空間のせいか、炎の周りは他の箇所と比べるといささか少ない。といえやはりスチーム全開のサウナよりもひどい熱と、そしていつ爆発するかも知れぬ状況に変わりはない。

そこに立っていた。

ひとり、腰に太刀を差したままで、その隻眼でこっちを見つめていた。

「――予想よりも、少し遅かったな」

静かに言った。

どういうコンディションにあるのか、この地獄のような環境で、汗ひとつかいていないようだった。

〝心頭滅却《しんとうめつきやく》すれば、火もまた涼し〟と言って敢《あ》えて謀略の炎の中に入滅《にゆうめつ》した高僧がいたというが、今のこの男はそれと同じだとでもいうのだろうか——。

その名は、彼が名付けたところから〝イナズマ〟という。

「…………」

フォルテッシモは能面のような無表情になり、階段からゆっくりと出てきた。

「なるほど……通常のルートは隔壁で閉鎖されているから建物の構造上、どうしたって非常階段で上から降りてくる者はこの場所を通らなくてはならず、故に待ち伏せる場所としては使える……しかし一歩間違えば、俺がたとえば他のルートを無理矢理通っていれば出くわすことはなかった訳で、運任せの要素が強いんじゃないのか？」

「そうでもない」

また静かに言われて、フォルテッシモは眉をひそめる。

そして気がつく。

イナズマの奴が立っているのは、左右の大型店舗の入り口に当たる箇所だ。屋内の区切りなのでその入り口にはシャッターの類《たぐい》はない。ということはそこからさらにそれぞれの空間もチェックできるということだった。気配を掴む能力さえあれば、どこから来ようがそっちに駆けつけることができるだろう。

「……用意周到だな。それで、これで準備とやらは終わったのか？」

やや嘲《あざけ》るような言い方をした。しかしそれにイナズマはやはり静かに、

「そうだ」

と告げるのみだ。

「もう、間合いを取る必要はない」

そして、一気に腰の太刀を抜きはらった。

その、鈍い輝きの刀身が炎の照り返しを受けてぼうっと光った。

（――？　居合いではなかったのか？）

では何故、さっきは刀を抜かなかったのだ？

考えかけて、しかし心の中で首を横に振る。

ぐだぐだ悩んでいる場合でもなく、その必要もない。

相手がやると言っているのだ。

こっちとしてはただ突き破るのみだ。

向こうが策に自信があるというのなら、こっちには自分の強さに対しての確信がある。何を恐れることがある。

（いや、むしろ怖れならば望むところだ）

恐れとは困難ということ。困難を克服するなど、この自分には滅多に味わえぬ感覚だ。

真っ向から受けて、それを粉々に打ち砕いてやる……！

フォルテッシモは一歩めを踏み出す。

イナズマは動かない。

確かに後退する気はもうないようだった。

もっとも、たとえ後退しても、すぐに行き止まりにぶち当たる。階段を降りているところで摑まってしまう。逃れることはできない。そして縦に長いこの場所は横には短い。左右どちらに移動しても、フォルテッシモの間合いから外れることはできない。

その間合いまではあと数メートル。

周辺の空気は、熱気でゆらめいて見える。陽炎《かげろう》がたちのぼっていた。

そのゆらぎ越しにイナズマは立っている。

向こうからもこっちの姿はゆらめいて見えるのだろう。

「——そうだ、ひとつ訊いておくことを思い出した」

フォルテッシモは足を停めた。だがそれはかるく跳び出せばすぐに間合いに入る位置だ。

「イナズマ、確かおまえはこう言っていたな——俺が勝てるのは〝千回のうち九百九十八回〟だと。では残る二回というのはどういうものだ？　一回はここだとして、もうひとつはどういうものなんだ？」

これは、本当に素朴な疑問だった。

駆け引きとか、そういう感覚はフォルテッシモにはなかった。自分でも見当がつかないが故に、素直に訊いただけだった。そしてここでイナズマを倒してしまえばそれは永遠の謎となってしまうのだ。

そしてこれに、相手もあっさりと答えた。

「それはもう失敗している」

「——？　なんだって？」

「この前の——雨の中での対決の時、本来なら俺は勝っていておかしくなかった。だが俺は愚かだったのでそのことに気がつけなかった——正樹に助けてもらわなければ、こうしてここに再びやってくることもできなかった。だから……」

イナズマは少しためらったが、しかし言った。

「ここで勝つのは俺ではない。それは正樹がおまえに勝ったということだ」

この言葉に、フォルテッシモは理解できずに眉をひそめている。

「あのときも勝てた、だと……？」

「そうだ。これはいわば二度目のチャンス。だから——もう失敗はしない」

静かに告げる。

「………」

フォルテッシモは口をつぐんだ。

大雨の降りしきる中と、この炎の中――

どこに共通点があるというのだ？　いわば正反対の環境ではないか。

といって、この状況でこいつが戯言《ざれごと》を言うとも思えない。ならばそう思えるだけのものがあるのだろう。

「なるほどな……」

ここで、フォルテッシモはやっと彼らしく――にやりと不敵に笑った。

「まさしく対等の〝勝負〟というわけだな。確かに、前のときには俺はおまえを侮っていたよ……今こそそれを撤回しよう。おまえが何を狙っているのか見当もつかないが……ゆえに！　それだからこそ！　イナズマ、おまえに何の容赦もない一撃を必ず叩き込むと俺の方もまた宣言しよう！」

そしてまた足を進め始める。

一歩、また一歩――

そしてイナズマが寸前で言った。

「フォルテッシモ――俺もひとつ訊きたい。おまえは本当に〝強い〟ということがなんなのか考えたことがあるのか？」

「さてな。あるいは全然わかってねーのかも知れねーぜ」

答えはやはり不敵だ。

するとイナズマはかすかにうなずく。

「やはり――」

言いかけた、その時点で既に状況に入っていた。

フォルテッシモの足が、間合いを一歩踏み越えていたのだ。

そしてフォルテッシモの言葉はハッタリでも何でもなかった。

ほんとうに、その瞬間イナズマがいた空間が瞬時にして弾《はじ》けとんだのだ。何の躊躇《ちゅうちょ》も手加減もない全開の一撃だった。

だがそのときイナズマもまたその場所にはいない。

逆に前に跳んでいる。空間を攻撃する以上、その中間にあるものは必ずしも攻撃対象にならないのだ。

(――やるな！　しかし……)

しかしそれは、そうでなくてはならないということではない。

もちろん直線で、攻撃をぶちかますことも可能なのだ。

そうしようとかまえたとき、その瞬間、フォルテッシモははっとなった。

イナズマではなく、その背後に目が行った。

彼が全開で攻撃したために、そこの床に穴があいていたのだ。普段ならば穴など大した意味はない――だが今は、この一帯には燃えさかる爆炎が満ち満ちているのだ――

しまったと思ったときにはもう遅く、吹き上がった爆炎の、その衝撃波に後押しされたイナズマが神速《しんそく》で迫ってきていた。

その剣の切っ先が眼前に迫る。

（——だ、だがっ！）

それでもまだ絶対の防御それ自体は破れたわけではない。

剣は、あっというまにバラバラに砕け散った。

その破片が宙を舞うのが、さながらスローモーションのように見えた。それは熱のために揺らいでいる陽炎の空気の中で、きらきらと輝いていた。

そして——そのときフォルテッシモはすべてを知った。

なぜ、周り中が燃えていなければならないのか。

なぜ降りしきる大雨の中でも条件が同じなのか。

すべてはこのためだったのだ——陽炎で揺らいでいるか、水滴に満ちているか、どちらでも良いが——空間の変化を物質的に見ることができる環境であれば何でも良かったのだ。

ビルひとつを燃やす必要。

それは戦いの場所がどこへ動こうとも、必ずその条件が成立するためだけにあったのだ。

そして、どうしてさっきはあれほどまでに剣を抜かなかったのか、その理由も今や明らかだった。

剣は粉々になっている——だがもはやそれはその役目を終えているので何の問題もない。真の武器は、既にイナズマの左手に握られていた。

それは鞘《さや》だった。

やたらに太く、重く、乱雑な漆塗りで錆止《さびど》めされているだけの、素っ気ない鉄製の鞘。だからずっと剣を納めていたのだ。抜いてしまえば、無駄なはずのそれをどうして捨てないのかと当然悟られていたからだ。

今や、すべての条件はそろっていた。

空間そのものを見ることができる環境。

フォルテッシモの一瞬の反応の隙をつくだけのスピード。

そしてそのフォルテッシモが既に攻撃をしてしまっていて、剣を砕いたその攻撃の軌跡《ライン》が丸見えになっていること。

空間に走っている無数の罅割れ、それを広げるのがフォルテッシモの能力。

だが今、その罅の形はイナズマにも見えているのだった。

そのほんの一点の間隙をついて、爆圧の推進力で後押しされたその一撃が吸い込まれるようにフォルテッシモの胸に、めりっ、と深く喰い込んでいた。

そう、そのような攻撃のことを、どこかの誰かがこう言っていた……

〝〈刀〉にこだわっているようでは、〈剣〉とは言えぬ――〟

「――がはっ！」

血反吐《ちへど》をぶちまけながら、フォルテッシモの身体は衝撃と反動でぶっ飛ばされた。

彼がさっき思っていたとおりであった。勝負は一瞬の刹那《せつな》で決していたのだ。

＊

血飛沫は高代亨の身体からも上がっていた。フォルテッシモの能力は空間を破壊するだけでなく、それに付随する衝撃波もまた武器なのだ。それが彼の全身に傷を付けていた。

フォルテッシモは吹き飛び、そしてその勢いのままに火災で脆《もろ》くなっている階段を突き破って〝スフィア〟の外にまで飛びだしていってしまった。

亨は後方から迫ってきていた爆炎の中、ごろごろと床を転がって、なんとか炎の奔流をかわす。

わずかに火が引いた隙に、彼は身を起こす。

手にしている鉄の鞘は、すでにボロボロだ。折れており半分も残っていない。一撃が入らなかったら、衝撃波とラインからずれたところで分断されていたそれはもう使い物にならなかった。一度きりしか勝てるチャンスはなかったのだ。

そう、彼は勝った。

最強と言われる者の敗北を自らの業《わざ》で達成したのだ。

だが、その彼は——

「…………やはり」

彼は建物に開いた穴から、フォルテッシモが落ちていった方を見下ろして、そして呟いた。

「やはり、あなたのおっしゃるとおりですね、先生——〝強くなることは、他のすべてをあきらめることに等しい〟と……確かに」

彼は空を見上げる。

「確かにもう、なんにも残ってねえ——」

その潰れた眼から、血が一筋流れ落ちる。

そして彼はきびすを返した。炎の中に戻っていく。

自分には何もないが、やらなくてはならないことがひとつ残っているのだった。

そう、生命の問題が——ひとつだけ。

そしてフォルテッシモの方は、吹き飛んだその半分は自らの衝撃波によるものだった。

建物を突き破り、外に飛び出し、落下し、そして数十メートル下のコンクリートに激突しても、その衝撃波はずっと彼の周りをくるんでいた。

だから、その瓦礫と化した落下跡《クレーター》の中で埋もれ、倒れていた彼の身体はしばらくしてから、

「う、ううう……」

と、よろめきながら上体を起こした。

自分がどういう状況にあるのかもわからなかったので、彼は辺りを見回した。そしてもはや自分が戦場そのものからは離脱してしまっている、という事実に気づかざるを得ない。

「………」

胸には、まだ鉄の鞘の破片がめりこんだままになっていた。しかし、それは右胸であり、心臓を直撃はしていなかった。肋骨《ろっこつ》を折られ、肺を片方手酷《てひど》く痛めつけられただけだ。運が良かった。だから九死に一生を得たのである。……いや、そうとはとても思えない。

どうしたって明らかなことは、やはり認めなくてはならなかった。

手加減されたのだ。

完全なる敗北だった。

「………」

そして彼が呆然としていると、腰のポケットで振動が生じた。

びくっとしたが、すぐに気がついてのろのろとそこにかろうじて動く左手を伸ばす。

棒状の、先端にレンズのようなものがついた機械を取り出す。着信振動していたのはそれだ

った。あれだけの衝撃を受けても壊れないというのは、この手の機械にしては異常なまでの頑強さだが、もともとそういうような環境で使うための特別品なのだ。

「——フォルテッシモだ」

彼はそれを口と耳元に寄せて、通信に出た。

『任務の遂行状況について報告してください』

いつものように、機械的な、女性のような合成音の囁きが聞こえてきた。その向こうに誰かがいるのか、それとも本当に機械なのか彼は知らない。

なぜ急に連絡が来たのか、それはおそらくあのスワロウバードという女だ。あいつがやっと彼の居場所を上に〝報告〟したのだろう。建物《スフィア》が燃えた時点で約束の条件は果たしたと判断したのだろう。

「——あ、いや……」

彼は胸元を見る。

ペンダントと、ゲーム機の端末が二つともまだぶら下がっていた。だがやはりゲーム端末の方は衝撃で完全に壊れている。しかしペンダントの方は——どうなのだろう?

「その〝エンブリオ〟は——」

『回収に成功したのですか』

「い、いや——それどころではない事態が生じて」

『それはあなたとはなんの関係もありません。あなたの任務はエンブリオの回収です。繰り返します。回収できたのですか？』

「…………」

フォルテッシシモは二つを見つめている。言わなくてはならない。任務なのだ。本当のことを言わなくてはならない。

「……エンブリオは回収した。だが入れ物となった物が壊れている。エネルギーの保存に関しては不明だ」

『それはどのような形態をとっているのですか』

「……家庭用ゲーム機の端末だ」

俺は何を言っているんだ、と思いながらもそう口が勝手に喋っていた。

『ではあなたの任務は完遂です。おめでとうございます。今回の達成条件にはエンブリオの保存は含まれておりません。ただちにそれを指定の場所に移してください』

「い、いや――だからそれどころではない事態なんだ！　間違いない、強力なＭＰＬＳの出現を察知しているんだ！」

『そいつと戦いたいとでも言うつもりですか』

冷ややかな声が返ってきた。

『何度も言いますがそれはあなたの任務ではありません。必要なことは我々の方で手配します』

「…………」

　フォルテッシモは反論しない。いや、できなかった。

　確かに……自分はもう一度あのイナズマと戦いたいのか、と訊かれて、即答できない自分がいることを自覚せざるを得なかったからだ。彼は押し殺した声で呻《うめ》くように言った。

「……了解した」

『ではコードFの態勢で次の指令をお待ちください』

　機械的な声はそれで切れた。

　フォルテッシモはよろよろと立ち上がった。

「…………」

　胸元のペンダントを、左手でつまみ上げる。

　どこかで誰かが『ありがとさんよ、ひひひ』と言っているような気がした。

「……まあしかし〝保証書〟とか言っていたしな」

　自嘲的に呟いた。

　そして燃え上がる〝スフィア〟を見上げた。

　彼が落ちてきた穴は確認できない。炎にすべて包まれてしまっていて、もはや区別できなくなっていたからだ。

「だが……これでおまえのところには統和機構の追っ手が次々とやってくることになるぞ。おまえはそれをどうやって切り抜けるつもりだ？　もはやこの地上におまえが安住できる地などない。行く先にあるのは屍山血河《しざんけつが》の修羅道のみ――」

言ってから、かすかに頭を振った。

「いや、それは俺も同じなのか知れないな。よかろう、イナズマ――おまえがこれから生き延び続けていけば、いずれは俺に抹殺指令が下されるだろう。そのときまで、おまえに最強という言葉をしばし預けておくことにするぜ。戦い続けてもっともっと強くなるがいい。その間に、俺もまた――」

そして笑った。

それはこれまでのフォルテッシモとは異なり、妙に穏やかなところのある、しかしどういう訳か、前の方がそれでもどこか人なつっこかったような、そういう変化を感じさせる笑い方だった。より利己的な感じが漂っていた。

まるでこういう、他の者に挑む状態の方が最強よりも自分らしいとでも言うかのように。

彼は重傷を負いながらもそれまでほとんど変わらない姿勢で、くるっ、と燃える〝スフィア〟に背を向けて歩き出した。

まもなく、この辺にも消防隊が押し掛けて、いったんは退避した警官たちも戻ってくるだろう。

＊

穂波顥子は燃え上がる建物を外から眺めている。

「…………」

言葉にならない。

「なんだか、夢みたいな事件だったなあ……」

彼女の横には弟の弘がいる。

彼女が生きて、この場所にいるのはある意味でこの弟のおかげだった。

あの後——高代亨と別れた後で、彼女は放心状態で、その場に座り込んでしまっていたからだ。そうしたら火の手が上がり、訳がわからなくなりパニックに陥ったところでこの弟がいきなり現れて、彼女を抱えて例の脱出用シュートに飛び込んだのである。

弟はなんでこんな所にいたのか——どうやらそれにも色々と複雑な話があったらしいのだが、彼女はどうにも物事をうまく考えられないのだった。

「偽者の姉ちゃんがいなくなったと思ったら、本物の姉ちゃんがいるんだもんなー。なーんか変な予感がしたんだよな。でもなんで、そんな気がしたのかな？」

弟は横で首をひねっている。

「…………」

顕子は無言で、燃えていく建物を見上げるのみだ。

なんだかもう、半分近くが燃えて崩れているようにも見える。すごい勢いで燃えていたので、燃え尽きるのも早いのかも知れない。

既に何台もの消防車がやってきて、放水を開始しているがそれよりも先に燃える物がなくなって消えてしまいそうな感じもした。

この建物自体が元からそういう風にできていたのかも知れない。

高代亨も、明確な目的を持ってあの場に彼女を置き去りにしたらしい。助けてくれたのだろうが、彼女にはそんな気がしない。あのブギーポップも、思い出すことのできない誰かさんも、そして十年前に死んだキョウ兄ちゃんも、みんなみんな彼女のことなんか気にかけることなくただ自分たちの道を先に行ってしまったような気がする。

自分だけが、ここにこうして取り残されて、そして結局、なんでもないままだ。

孵《かえ》らぬ卵のまま、以前と何も変わらない。

「……バカみたい」

小さく呟いた。

「私、バカみたいだわ、ほんとうに……」

「姉ちゃん？」

弘が、茫然としている姉を心配そうに見つめてきていた。

確かに助けてもらったのだと実感できるのは、この弟だけだなと彼女はおぼろに思う。

でもお礼を言う気には、今はなれなかった。

今は自分のことだけで精一杯だった。

この事件が自分に与えたものがなにかないかと、それぱかりを彼女は考えていた。まったくの徒労だったとは思いたくなかった。

だが悲しいかな、彼女にはそれがなんなのか見当もつかないのだった。

〝スフィア〟はなおも炎上している。

その中央の部分が、軸となるものが燃え尽きたのだろう、一度大きく膨れ上がったかと思うと、大きく中に陥没した。

まるで卵の一部が割れて、中から何かが出てくるところのようだと顕子は思ったが、もちろんそこからは火の鳥とかそういうものはまったく姿を見せず、ただ炎の柱が吹き上がったに過ぎなかった。

「――すごく綺麗、とか思ってあげればいいのかしら……」

顕子は茫然としたまま、どうでもいいような調子でその凄絶《せいぜつ》な光景をぼんやりと眺め続けた。

炎はやがて、顕子が考えたように燃えるものほとんど燃え尽きてなくなってしまい、やがていともあっさりと鎮火《ちんか》された。燃えていたのは結局三十分に満たなかったという。警察はその場をもちろん入念に調べ上げたが、何も手がかりらしきものを見つけることはできなかった。これが偶然の集積による事故だったのか、人為的な計画犯罪だったのか、前の事件と同じように証明することは遂にできなかった。

その場からは死体もしくはそれと疑われるようなものも発見されず、犠牲者はゼロと公式見解では発表された。

*

……ぼくが暗闇にひとり横たわっていると、誰かがぼくの側にやってきた。

背の高い人だった。とても大きいのだが、なんだか威圧感はなく、それどころか逆にすごく儚げに見えた。

この人をぼくは知っているのだなと、なんとなく思った。

「よお——正樹」

その人がぼくに話しかけてきた。

「亨か。無事だったんだな——よかった」

ぼくも返事をしていた。

「まあな。何の問題もなかったわけじゃないが、おまえやみんなにかけた迷惑を考えれば、大したことはなかったよ、ほんとうに」

亨はぼそぼそと言った。ひどく疲れている、そんな印象がした。

「なんだからしくないな。もっと元気のいい男だったろう、亨は」

ぼくはちょっとおどけた感じで言った。

「そんなことじゃ立派なサムライにはなれないぜ」

「ああ——そうだな、結局、俺には……」

亨は寂しげに微笑んだ。

「俺は、サムライには……なれなかったよ」

「どうして？」

「恥を行いすぎた。その中にはとりかえしのつかないものもいくつかあった……」

「なに言ってんだよ、それを言ったら師匠なんかいらない恥ばっかかいているぜ。たとえばぼくを鍛えてくれたことも、貴重な武道家としての人生を無駄にした、恥みたいな過去じゃないか。でもぼくはすごくそれを誇りに思ってる。あんたの〝恥〟というのも、きっと誰かにとっては大切なものなんだよ、きっと」

どうも亨を相手にするとこういう説教じみたというか、師匠みたいな口の利き方になるなあ、とぼくは笑った。

「……ありがとう」

亨も微笑んだ。しかしすぐに表情を曇らせ、

「だがおまえを見殺しにしかけたこの恥は、俺としてはどうしても許せない気がする。あまりに身勝手だ。目先の勝ち負けのために……」

と言った。

「それで、勝ったのかい、負けたのかい」

「……どっちでもなかったような気がするな」

「じゃあそいつを恥というのは、決着がついてからにしろよ。今のところは、あんたはまだ途中だ。やるならとことんやらなきゃな」

僕はそう言ったのだが、亨は微笑んでいるだけだ。

「的外れなこと言っちゃったかな?」

と訊くと、亨は首を振った。

「いや……その通りなんだろうな。どっちにせよこの道を引き返すことはできないようだ。とことんやり抜かなければならないらしい」

どうも話は深刻なものらしい。

ぼくは思い切って言ってみた。

「じゃあ、これでお別れということなのか?」

「……おそらく、な」

「それなら頼みがあるんだが……あんたも知ってるだろうけど、織機綺って女の子がいるんだが」

ぼくは静かに言った。

「彼女に、ぼくが〝色々ありがとう〟とお礼を言っていたと伝えてくれないか。どうやらぼくはこれで死ぬらしいからな。自分では言うことはできないだろう。それだけがほんとうに心残りなんでね」

「自分では言えなかったのか？」

「そりゃあ……まあね、恥ずかしいからね」

「恥を語るには、まだ途中なんじゃなかったのか？」

亨はいたずらっぽく言った。ぼくも苦笑した。

「お互い様ってわけだな。でも、ほんとに頼みたいんだよ」

「いや、やっぱりそれはできない」

亨はきっぱりと言った。

「え？」

「なぜなら、それはおまえの仕事だよ。おまえ以外の誰にもできないことだ、谷口正樹」

「……でも」

「おまえは死なない。死なせるわけにはいかないんだ。まさに僥倖だったよ。穂波さんがぎりぎりで俺にその方法を教えてくれたんだ」

そして亨はぼくの上に左手をかざした。その手首に右手を寄せていく。

「なんでも、このあたりに俺の〝生命〟が集まっていて、今にもこぼれそうになっているらしい……俺にはそれは見えないが、しかし〝ある〟のが確かであればその〝線〟を推測することはできる。——だから」

言うと、亨は右手をぴっ、と動かして目に見えない何かを空中で確かに切った。

「そしてフォルテッシモが言うには、その傷を塞ぐたったひとつの方法は、別の生命をその上にそそぎ込むことだと——」

ぼくは……ぼくには見えた。

亨の手首から、黒っぽい霧のような物がどんどんあふれ出てきて、そしてそれがぼくの胸に落ちては吸い込まれていくのを。

ぼくの身体は、内側からどんどん熱くなってきた。身体中にある痛みがいちいち自覚されて、そして内側から、さながら卵の殻を破ろうともがく雛鳥《ひなどり》のように、外に押し出されていく。

（これは……）

ぼくには見えているその染みみたいなものは、亨には見えないらしい。ぼくは本能的に叫んでいた。

「もういい！　これで充分だ！　それ以上やったら、あんたの方が——」

亨は手首を押さえた。

「そのようだな……なんとか間に合ったようだ」

「亨、あんたは何をやったかわかっているのか?!　ぼくに自分の生命の半分もやっちまったんだぞ。ということは——あんたは普通の人間の倍以上〝何かあったら死ぬ〟危険性が高くなってしまったということなんだぞ！」

直感的に、ぼくはそれがわかっていた。だが亨の方はまるで動じずに、

「いや、運が良かった。俺の分がまだ残っているというのは、な」

と、うなずきながら言った。納得済みのことのようだった。

「し、しかし——」

「俺は、能力的に普通の人間よりも遙かに危険に対して対応力があるからな……いわばこれで帳尻《ちょうじり》があったということだよ」

穏やかに言う。

「それに、もともとこれはおまえの生命も同じだからな。俺は借りていたものを返しただけだ。霧間さんたちにかけた迷惑を思えば、まだ足りないかも知れないが」

その淡々とした言い方に、ぼくは二《に》の句《く》が継げなかった。

「それじゃあ、さよならだ。織機さんと仲良くな」

亨はかすかに頭を下げると、暗闇に横たわっているぼくから離れていく。

ぼくは必死で叫ぶ。冗談じゃなかった。

「ま——待てよ亨！　ふざけるなよ！」

怒りの声に、亨は振り返る。

「あんた、ほんとうに悪いと思っているのかよ⁈」

ぼくは怒鳴った。

そのぼくに真剣な気持ちを見たのだろう。亨は真面目な顔で「うむ」とうなずいた。

「だったら——だったらここでぼくの言うことをひとつ聞け！」

「……なんだ？」

「必ずだ——いいか、必ずだぞ——絶対にもう一度ぼくと、生きて会うとここで誓え！　こんな別れ方なんてまっぴらごめんだ！」

ぼくは亨を睨みつけながら言った。

「…………」

亨はしばらく無言だった。だがやがて、

「ふっ——」

と微笑むと、

「ああ。約束しよう」

とうなずいた。

「約束だからな！　破ったらあんたを一生許さないからな！」

「いいとも。だがそれはこっちの科白でもあるぜ正樹。俺も、おまえがこれ以上無茶しすぎたりして織機さんを泣かせたら許さんからな」

亨はニヤリと笑うと、今度こそほんとうにその姿は闇の中に溶け込むように消えた。


「…………！」

そして、ぼくは目覚めた。

まず目に入ったのは、病院らしき真っ白い天井だった。そして自分がベッドの上に横になっていて、身体に何本か管がつながっているのを自覚する。

そして止血《しけつ》のためらしききつい包帯が至る所に巻かれている。だがぼくは、もうその傷口がすべて塞がっているのも感じていた。

「…………」

ゆっくりと首を回すと、ベッドの脇にひとりの少女が座っているのが見えた。ただし疲れ切っているのだろう――ほとんど気を失っているみたいな感じで眠ってしまっている。

ぼくは胸が締めつけられるような感覚に襲われて、上体を起こした。点滴などの元栓を締めてから身体にくっついていた管を乱暴に引き抜いて、傷跡をもみしだく。

「くそ、ほんとうにそうだな……ぼくはちゃんと謝らないといけないようだ」

呟いて、自分にかかっていた毛布を静かに彼女、織機綺に掛けてやる。

そのとき、ぼくが入れられている個室に近づいてくる足音があった。

ノックをしようかどうしようか悩んでいるらしい、入り口の前でしばし立ち止まる気配がして、やがておずおずといった感じでドアが開いた。

入ってきたのは凪姉さんと親しい、羽原健太郎さんだった。うつむいているその顔は、きつい徹夜仕事の後みたいで目の下に隈《くま》がある。

「なあ、綺ちゃん……いくらなんでも少し休んだ方がいい。俺が変わるから――」

と言いながら顔を上げた健太郎さんと、ぼくの目が合う。

「――あ」

声を上げかけた彼に、ぼくはすかさず口元に指を立てて「しいっ」と言った。そして眠っている織機を指さす。

「……あ、ああ……あの」

開けかけた口をぱくぱくさせながら、言葉にならない健太郎さんの表情がまるでゴム細工の玩具《おもちゃ》のようにぐにゃぐにゃと変わった。

そして彼はさかんに指を動かして、どうやら電話のプッシュホンを押しているみたいなジェスチャーをした後に小声で、

「――な、凪に知らせてくる……！」

と言ってまた部屋の外に飛び出していった。

ぼくは健太郎さんの行動のおかしさにくすくすと笑いながら、また織機の方を見た。

彼女は静かに寝息をたてていた。ぼくがそっと彼女の頭に触れると、彼女の寝顔がなんだか穏やかなものになったような気がした。

彼女が目を覚ますまでずっと待っていようと思い、ぼくはベッドに腰を下ろした。

そして、その脇に一組の着物がたたまれて置いてあるのに気がついた。

「…………」

確かめてみるまでもない。

それは、師匠の持っていたあの着物だ。それを着ていた者が、ここに本当にやって来ていた証拠だった。

「……約束だからな」

ぼくは口の中で嚙《か》みしめるように呟いた。

友よ、また会おう――。

12

『孵《かえ》らぬ卵は恐れ戦《おのの》きつつ、今も何かを夢見て動く――』

いつもやっている筐体《きょうたい》が塞がっていたので、穂波弘はしかたなく空いている椅子に座って待つことにした。

いつものゲームセンターの、いつもの電子音やらメダルゲームのじゃらじゃらいう音などが響いている、いつもの風景だった。

「…………」

来るのは十日ぶりだ。

あれから一週間が経った。家の中が荒れていたりしたので出張から帰ってきた両親にこっぴどく怒られたり、学校で休んでいるあいだに面倒くさい係に勝手に決められていたりして色々あったが、とりあえず平穏無事な日常が返ってきた。

あの、関わった連中は今どうしているのかわからない。高代亨は行方不明だそうだ。警察はまだ以前の事件の取り調べが終わっていないとして彼の身柄を捜しているらしい。リィ舞阪や、姉に化けていた子供はそもそもあの火災から逃げ延びたのかどうかかも不明だ。死体は見つからなかったというから、きっとどこかで生きているのだろう。だが瀬川風見なら今でもテレビで見かける。

姉も、少しぼんやりとしていることが多くなったが、それでも前のように学校に行って、普通に生活している。あの以前助けてもらった不良少女の霧間凪にあれこれ訊かれたりしたらしいが、結局それでどうこう問題になったりはしなかったようだ。

元に戻ったのだ。

終わってみると、見事なくらいに弘自身には何も起きていない。戦ったのは亨とリィだし、エンブリオを持ってさまよったのは姉だし、燃えたビルは彼や家族、それに友達などとは全然関係のない場所だ。

ではいったい、どうして彼はまたここに来ているのか。

あのとき座っていた筐体の前に、また座ろうとこうして待っているのか。

あのとき……一番最初に、エンブリオを受け取った、この場所に。

「どうして――」

「どうして何も起きなかったのか、という疑問か?」

頭の上でまた声がする。

見上げると、そこにはひとりの男が立っていた。灰色のコートを着込んだ、印象も灰色の男だった。

「サイドワインダー……そういう名前らしいね」

リィ舞阪に訊いたその名を弘が言うと、そいつはうなずいた。

「そのようだな」

「あんたのせいで、色々大変だったんだぜ」

弘はため息混じりに言った。

「ほう、そうかね」

「そうとも、たとえばこの店だ。あんたがこんな所で死ぬもんだから、警察が来たりして今日まで営業できなかったんだ。それで来るのがこんなに遅くなった」

「まあ、正確にはここで死んだわけじゃない。その前にもう殺されていたのさ。身体は私を同僚だと思いこんだサラリーマンの方に運んでもらった」

サイドワインダーは含み笑いをする。するとその上に通行人の姿がだぶって、そして通り抜けた。サイドワインダーには実体がなかった。

「それがあんたの、エンブリオから引き出された能力だったわけだな……俺のところにまでエンブリオを持ってくるための」

弘はため息をついた。

「だいたい都合が良すぎたよ……そんなにうまく俺の持っていたゲームと同じものを持っていて、データ交換ができるなんて、そんな偶然があるものか。俺は結局、あんたがつくっていた幻覚だかなんだかにはまっていただけだったんだ」

「いや、それはちょっと違うな」

幽霊なのか、それとも幻覚なのか、とにかくその弘にだけ見えるサイドワインダーは首を横に振った。

「私はあくまでも受動的だったよ。私がしたことはたったひとつ――エンブリオを君の所にまで持ってきただけだ」

そしてくすくすと笑う。

「幻覚をつくっていたのは私ではなく、君自身だったんだよ、穂波弘君」

「どういう意味だ?」

「むろん、君が自分でも気がつかないようにするためだ。何故なら君はまだまだ未熟な子供で、そして〝能力〟の方はあまりにも巨大だからな」

「…………」

「そうとも――まさか君も、自分だけエンブリオに何の影響も受けなかったとは思うまい。一番最初に、すでに死んでいた私と話ができた上に受け取ることができていて何の関係もない、そんな話があるわけがない。君は誰よりも早く目覚めていたのさ」

「…………」

弘は答えない。かまわずサイドワインダーは続ける。

「なにしろエンブリオ自身ですら、自分が目覚めさせたことに気がつけなかったくらいだから、その覚醒《かくせい》は本当に瞬時に起こっていたのだろう。そして同時にそれはすぐさま起動した。目的に従って、すべての状況を組み立て始めたのだ。そのなかでは当然、君の自分自身に対する偽装《ぎ》がもっとも早かったわけだ。自分の精神に負担がかかりすぎるような事態に対してそれをなかったことにする——多重人格みたいなものかな？」

「……それで、ゲームをあんたから受け取ったと無意識で思いこんで、俺はエンブリオを運んだのか？」

「そういうことになるな。私の能力はエンブリオを、反応する者に自動追尾ミサイルのように届けるというだけのものだったからな。後は君の仕事だった」

「エンブリオ自身にわからないなんてことがあるのかよ」

「あれは、同調している人間の感覚を通してしか外界を認識できない。私が死んだ時点で外のことは何もわからなくなっていたよ。おそらくは穂波顕子と接触するまでな」

「……姉ちゃんの方にあんたは反応したとは思えないのか」

「いや、それはまったく逆だ。姉に反応していたのは君の方だ。君はすでに、過去の事件のせいで姉に能力が引っかかっていることを知っていた。無意識なのか、眠れる才能故か、それはわからないが……あるいは姉のそれが身近にあったがために、君の能力の芽は生まれたのかも知れない。なぜならそれが危険なものだということも、君にはわかっていたからだ」

「…………」

「そのために君の能力は生まれたんだ。なんと呼べばいいのか、その〝知らず知らずに周囲の状況を誘導していく能力〟はそのためにあったわけだ。綱渡りで繋《つな》げていくというところから〈タイトロープ〉とでも呼ぼうか？」

「……俺の〝能力〟とやらが、高代さんやリィを戦わせて、ビルを燃やしちまった原因だってのか？　俺はあのビルのことすら知らなかったんだぜ」

「知らないことなど関係ない。君はただ影響を与えていただけだ。あとはそれぞれが勝手にやっただけだ。細かく思い出してみるといい」

「…………」

弘には考えるまでもない。

たとえば姉にしたところで、リィ舞阪にしたところで、彼の発言に反応して次の——決定的な行動に移っていた。マンションの外に出たり、高代亨たちの後を追ったり……。

それと同時に、彼は無意識のうちに能力で、微妙に彼らの精神に影響を与えていたというのか。

「神のごとき力だが、しかし何でも可能な能力というわけでもない。なにしろ君の目的は極めて単純だったのだから」

「…………」

「それがなんなのか、もちろん君はもう知っているな」

「……姉ちゃんを助けるためだってのか？」

姉にとりついていたという、過去の亡霊《ぼうれい》からの呪い、それをエンブリオによって解き放ち、なおかつそれが消えるまでのあいだ姉を孤立して安全な状況に置くこと——

今回の、一連の事件はすべて、そのために周囲が設定されていたというのか。

「まだ初恋も知らない君にとっては、姉を助けるというのは極めて明確な理由だな。そしておそらく、その能力はそのように自分以外の者のためにしか使えないのだろう。自分で自分の運命を完全に決定する精神力などこの世の誰にもないからな」

ほんとうに人生が何もかも思い通りになるとしたら——人は逆に何のために生きているのかわからなくなるだろう。弘はなんとなく、かつてのリィ舞阪のことを思い出していた。あれほど強くてもどこか投げやりだったあの男のことを。

だが、それよりも肝心のことがある。

「……じゃあ、こいつはもうお終《しま》いということじゃねーのか？」

姉の側にいたからできた能力で、その姉を救ってしまっては意味がなくなった。

「とりあえずはそういうことになるかも知れないが、しかし……わからないぞ。また誰かのために、君が能力を発動させることもあり得る。もっとも、それは君自身にすら認識できないわけだが——」

「やっぱり意味がねーじゃんか」

弘はため息をついた。

「俺にとっては、まあ姉ちゃんを助けられたのはいいとして、能力なんかあってもなくても関係ないことになった。いや俺だけじゃない。この事件に巻き込まれた連中だって、別に全部が全部そのせいで戦ったりしたわけじゃない——高代さんだって、リィにしたって、みんな自分が正しいと思うことをしただけなんだろう。関係ないじゃんか」

「確かに何者にも関係しないだろうな」

「あんたもさ、せっかく命を賭けてさ、エンブリオを外の世界に出そうとしたらしいけど、でもあんまり意味がなかったね。俺なんかに渡さなきゃもっといいのに当たったかも知んないけどさ」

弘はぼやいた。だがサイドワインダーは変わらない調子である。

「確かにその〈タイトロープ〉はこれまでの人々、それまでの世界とは無関係にしか働かない。だがね」

そしてニヤリと笑う。

「だからこそ、それは可能性なんだよ。どういう風に、どこにつながるかわからないからこそ、それこそ死神にすら気づかれないほどにどうでもいいとしか思えないからこそ、それは真の意味での可能性なんだよ。この世に無関係でなければ、新しいものに到達などできない」

「……それがろくでもない道に続いてたら？」

「善悪とは常に決定された過去に対してしか使えない概念だよ」

「わかんねーよ」

弘の嘆きに、サイドワインダーはぽんぽんと肩を叩いてきた。実体がないはずなのに、本当に叩いている感覚がある。

「それは〝今は〟だよ。今はわからない……君もみんなもまだまだ幼いんだ。この世のすべては未だに卵の殻の中で、生まれ出るその日のために色々な道を必死で進んでいるのさ」

「でもあんたは……あんたはもう死んじまったな。それでよかったのかい？　エンブリオに関わらなきゃその〝道〟に参加できたかも知れないのに」

「……ああ。しかし私にはそうしなくてはならない理由があったんだ」

「理由？」

「エンブリオのオリジナル、実際に殺したのはモ・マーダーという男だったが、統和機構に彼を〝危険〟と報告してしまったのは私だったんだ」

「……？」

前後関係が把握できないので、弘は混乱した。だがそれにサイドワインダーは答えようとはせずに、

「だから私は、どうしてもエンブリオに償《つぐな》わなければならなかったんだ。あっちには知る由も

ないことだが」

そして自嘲気味に笑った。

「大きな道を一度塞いでしまった私は、道に参加するためには死ぬしかなかったということだ。高代亭の言い草じゃないが、サムライになるには、その覚悟のひとつとしてあるだろう？　そう——〝死ぬことと見つけたり〟とな」

「……だからわかんねーっての」

弘にはもうわかっている。いや最初からわかっている。

このサイドワインダーは幽霊ですらない。

この場所に彼の想いが残っているとか、そういうのではないのだ。これはただ単に、弘自身の中に残っているサイドワインダーの〝自動追尾〟とかいう能力の残滓《ざんし》なのだ。

この世に実体がないとかそういう話ではないのだ。弘の感覚の中にしか存在していないのである。

しかしそれは姉の中にあったものとは違ってもはや力はなく、こうやって彼に語りかけるだけがせいぜいの微力なものだ。そして、それすらもこうして、出会った場所だからというような〝理屈〟がないと弘の認識に出てくることもできない。

「私はもう終わっている。しかし君は、君たちはまだまだこれからだ」

サイドワインダーの幻影はそう言って、少し厳しい目で弘を見つめてきた。

「わかるかな、生まれてきた千のものたちは、生まれることができなかった兆のものたちの分も生きなくてはならない。それは、この世に存在しているすべてに掛けられた呪詛《じゅそ》なんだ。君たちはそれから逃れることはできないんだよ」

「……ぞっとしない話だ」

弘は顔をゆがめて、視線を逸らした。

そして戻したとき、既にサイドワインダーの姿はどこにもない。

「…………」

弘はため息をついた。

周囲では、ゲームセンターの賑やかな、だがどこかうら寂しい喧噪《けんそう》が変わらずに響いている。

可能性だのなんだのと言ったところで、結局はこうして自分たちは日常という殻の中にじっとしているしかない胚《たね》なのだ。育っているものはあるのかも知れないが、それがなんなのかは自分ではわからない。

「……まったく、ぞっとしねえ」

弘はいつまで経っても席が空かないので、ゲームをやるのをあきらめて椅子から立った。明日は英語の実力テストだ。休んでいたので教師によく思われていない。それなりの点を取らなくてはならなかった。帰ったら机に向かわなくては。

どうにも気が進まないそれも、誰かを救うための能力の結果なのかも知れなかったが、だがらといって、やれることに全然変わりはないのだった。

*

……風が吹いている。

無人の、この世から賑やかさというものを抜き去ったような閑散《かんさん》とした廃墟《はいきょ》に風が吹いている。

その風はひどく冷たい。

時刻は夜明け前。まさに身を切るような感触で空気が冴《さ》えている時間だった。

廃墟にある建造物は、そのほとんどが骨組みだけのものだった。それらはみな奇妙な形状をしており、少なくとも人が住んだりする目的のものではないことは明らかだった。巨大な輪であったり、空中に走る線路であったりしていた。

それらがそろそろ明るくなってきた世界に長い影を落としている中、ひとりの男がその廃墟に立っていた。

「………」

背はそれほど高くない。ただし手足は長く、その体型に似合った薄紫の身体にフィットした服を着ている。少年のような顔つきをしていた。胸元にはエジプト十字架のペンダントが下がっている。

無言で、何をするでもなく、何かを見ているでもなく、ただ立っている。

風が吹きすぎていく中、男はじっとしている。

ひたすらに時間は過ぎていき、地面に走る影が、昇ってきた太陽のためはっきりとわかる速度で動いていく。

「…………」

男はひとりであり、他に人影がないにも関わらずにそこに奇妙な声がした。

『──だんだん虚《むな》しくなってきてねーか？　んん？』

ひどく意地の悪い声だった。

「…………」

男は声に反応しない。

『こりゃ、もう他には考えらんねーんじゃねーのかあ？』

「…………」

太陽は昇りきって、空にはのどかな鳥の鳴き声が響き始めていた。

一日の始まりだ。気分のいい、さわやかな夜明けだった。

「…………」

しかし、男の表情にはさわやかさなど欠片《かけら》も見られない。

それどころか頬がぴくぴくと小刻みに痙攣《けいれん》していた。

いつだったか、どこかで、誰かさんがこんなことを言っていたのを男は確かに聞いていたはずだった。

〝一週間後の今日、夜明け前の時刻、郊外にある作りかけの遊園地——そこで待っているよ〟

……はっきりとそう言っていたはずだ。

「——くそったれが……！」

彼の奥歯が怒りのためにギリギリと鳴り出す。

〝こう見えても、ぼくのささやかな誇りはこれまで一度も嘘をついたことがないと言うことでね〟

「……な、なにが、プライドだ……！」

彼は全身をぶるぶると震わせて、そして手近にあった大きな岩を思い切り蹴飛ばした。岩はたちまち粉微塵《こなみじん》になって砕けとぶ。

しかし男の怒りは収まらずに、彼はなおも絶叫した。

「——あ、あの帽子野郎……！」

天に向かって吼《ほ》えた。

「……あの、大嘘つきめェッ！」

どこかで誰かがまた『けけけけっ！』と悪意まる出しでせせら笑う声がする中、早朝の健《すこ》やかな風だけがその場を吹き抜けていった。

"The EMBRYO" 2 nd half -erupsion- closed.

眠れる胚子は己が殻の中にいることを知らずとも
己の心音と血流を聞き、世に音があることを知り
想像もできぬ殻の外を予感し、身を打ち振るわせ
されど身が孵ることが叶うか否か未だ定かでなく
殻の中でただ悶えるのみが、今許されし生の証し
想いも願いも半端な身で、己の形すら見えはせず

いたずらに膨れ上がり続けるのみの各部に戸惑い
その混乱の中で一筋の光明を感じた気になりしも
それは殼の中での、ひとときの成長過程のひとつ
果てに待つものは、殼の外のみが知ると言えども
その外の何たるか、殼の中より見える道理もなし
孵らぬ卵は恐れ戦きつつ、今も何かを夢見て動く
その夢は我等、生きるすべてと何ら変わる所なし

あとがき――生死が二人を分かつまで

たとえば「恋愛は戦いだ」とか、そういった形でよく「生きるということは戦うことだ」みたいなことが言われたりするが、しかし実際には人生というのは必ずしも勝ち負けをはっきりさせるために存在しているわけではない。極端な話、戦争に駆り出されて明日をも知れぬ生命の人々にとっても、最も重大なことは敵を倒すことではなくて、足に合わない靴でできた靴擦《くつず》れが痛いのをどうすればいいのかとかそういう話であったりする。自然界は弱肉強食で生きるか死ぬかだとかロマンティックな響きで語られたりするが、しかし実際の自然界にはもっと現実的な棲《す》み分け現象というものが存在していて、争いはむしろ回避されるような原則になっている。よく極限状況で人間の真実が明らかに、とかいうふれこみで生死すれすれな目に遭《あ》った人々の話が語られるが、確かにそれらの話は人間のある局面における可能性の顕《あらわ》れではあるが、真実唯一のものでも極限でもない。単なる一局面である。その人々のそのときの勇気にはむろん感動するが、しかしその人たちとて生き延びた後では「さて今日の晩飯は何にすればいいか」というようなより頻繁《ひんぱん》な、人生の問題に直面していかなければならないのである。

ところで私の最も好きな漫画家であるところの荒木飛呂彦《あらきひろひこ》先生は西部劇が大好きなのだそうである。西部劇と言えばなんと言っても決闘シーンであり、無法者《アウトロー》が向き合い、風が荒野を吹き過ぎていき、そしてさっと伸びる手に一瞬の銃声が轟き、やがて片方がばたりと倒れる、とまあこんなようなところであろうか。こういうものにはついわくわくしてしまうのだが、しかし前述の人生の問題からするとこういうものはどうでもいいもののはずではあるのだ。にも関わらず、そこには確かに心を沸き立たせるなにかがある。いや何も殺し合いでなくともよい。ひいきのスポーツチームが善戦しているときのあの感覚であっても同じだ。なんでなのか？勝負なんてのは本来なら避けた方がよいもののはずではなかったのか？単なる代償行為か？

いや、おそらく我々は誤解している。日常における勝負というものがあるとすれば、それはすなわち「他人を蹴落とすこと」「その上に君臨すること」だと思いすぎているのだ。だからそうではない、ただ単に「相手と自分、存在するのはただそれのみ」という純粋な勝負というものを見失っている。そんな気がしてならない。もしも真剣に勝負を考えて、その上で対峙《たいじ》し、そして負けたとしたら、おそらくはその問題以外のことではこの両者にはもはや争うべき理由がない。たとえばどこかの民族紛争などはその辺のことが完全に混乱しているので、相手のことを見ようともせずに自分たちの混迷をただ苛立《いらだ》ちとして相手にぶつけ合っているだけ、ということにしかなっていないと思うのだ、私は。何故ならほとんどの問題というのは「それが、どうして問題になっているのか」をはっきりさせたところで八割は終わっているはずだからだ。どうしてそれができないのかというと、要するにあまりにも、勝負すべき場所があやふやになっていて決着をつけるべきことがないがしろになっている、世の中の問題とやらは実はそれだけのことでしかないことが多すぎるような気がしてならない。

だから我々は、まだまだ「勝負」というものに憧《あこが》れて、それを我がものとして取り込む努力ということを考えてもいいのではないか、とかそんな風に思うのだ。第一カッコイイじゃん。薄《すすき》の群生が風に揺れる原野で、剣をかまえし二人の武者が、向き合い微動だにしない——とか。そう、人が「これカッコイイ！　すげえ！」と思う気持ちというのは、やはりいいもののはずで、それを「ガキっぽい発想」とか言って切り捨ててもっともらしさばかりを考えるから、それで世の中つまんないのかも知れないなー、とか、ならそういうことと勝負してみるかおまえ、大変だぞとか我が内なる声とも戦いつつ、やっぱり文章は途中で終わって続きません。以上。

（しかし日常の中での〝対決〟という問題ぐらいはフォローしろよおまえ）

（まあいいじゃん。それはそれぞれでやってください、っつーことで）

BGM "WE'RE IN THIS TOGETHER" by NINE INCH NAILS

◉上遠野浩平著作リスト

「ブギーポップは笑わない」（電撃文庫）
「ブギーポップ・リターンズ　VSイマジネーターPart1」（同）
「ブギーポップ・リターンズ　VSイマジネーターPart2」（同）
「ブギーポップ・イン・ザ・ミラー「パンドラ」」（同）
「ブギーポップ・オーバードライブ　歪曲王」（同）
「夜明けのブギーポップ」（同）
「ブギーポップ・ミッシング　ペパーミントの魔術師」（同）
「ブギーポップ・カウントダウン　エンブリオ浸蝕」（同）

本書に対するご意見、ご感想をお寄せください。

電撃文庫公式ホームページ 読者アンケートフォーム
http://dengekibunko.jp/
※メニューの「読者アンケート」よりお進みください。

ファンレターあて先
〒102-8584　東京都千代田区富士見1-8-19
アスキー・メディアワークス電撃文庫編集部
「上遠野浩平先生」係
「緒方剛志先生」係

本書は書き下ろしです。

電撃文庫

ブギーポップ・ウィキッド
エンブリオ炎生《えんじょう》

上遠野浩平《かどのこうへい》

2000年2月25日　初版発行
2018年4月10日　13版発行

発行者　郡司　聡
発行所　株式会社KADOKAWA
〒102-8177　東京都千代田区富士見2-13-3
プロデュース　アスキー・メディアワークス
〒102-8584　東京都千代田区富士見1-8-19
03-5216-8399（編集）
03-3238-1854（営業）
装丁者　荻窪裕司 (META + MANIERA)
印刷・製本　加藤製版印刷株式会社

ISBN978-4-04-867617-5　C0193　Printed in Japan

電撃文庫　http://dengekibunko.jp/
株式会社 KADOKAWA　http://www.kadokawa.co.jp/

電撃文庫創刊に際して

文庫は、我が国にとどまらず、世界の書籍の流れのなかで〝小さな巨人〟としての地位を築いてきた。古今東西の名著を、廉価で手に入りやすい形で提供してきたからこそ、人は文庫を自分の師として、また青春の想い出として、語りついできたのである。

その源を、文化的にはドイツのレクラム文庫に求めるにせよ、規模の上でイギリスのペンギンブックスに求めるにせよ、いま文庫は知識人の層の多様化に従って、ますますその意義を大きくしていると言ってよい。

文庫出版の意味するものは、激動の現代のみならず将来にわたって、大きくなることはあっても、小さくなることはないだろう。

「電撃文庫」は、そのように多様化した対象に応え、歴史に耐えうる作品を収録するのはもちろん、新しい世紀を迎えるにあたって、既成の枠をこえる新鮮で強烈なアイ・オープナーたりたい。

その特異さ故に、この存在は、かつて文庫がはじめて出版世界に登場したときと、同じ戸惑いを読書人に与えるかもしれない。

しかし、〈Changing Time, Changing Publishing〉時代は変わって、出版も変わる。時を重ねるなかで、精神の糧として、心の一隅を占めるものとして、次なる文化の担い手の若者たちに確かな評価を得られると信じて、ここに「電撃文庫」を出版する。

1993年6月10日
角川歴彦